Cahier du jour
Cahier du soir

Français

Auteurs
Florence Randanne
Stéphane Devin
Professeurs de Français au collège

MAGNARD

Avant-propos

- Ce cahier est conforme aux nouveaux programmes.
- Le cycle 3 (cycle de consolidation) relie désormais les deux dernières années de l'école primaire et la première année du collège, dans un souci renforcé de continuité pédagogique et de cohérence des apprentissages au service de l'acquisition du socle commun de connaissances, de compétences et de culture.
- Ce cycle a un double objectif : consolider les apprentissages fondamentaux ; permettre une meilleure transition entre l'école primaire et le collège.

NOUVEAUX 2016 PROGRAMMES

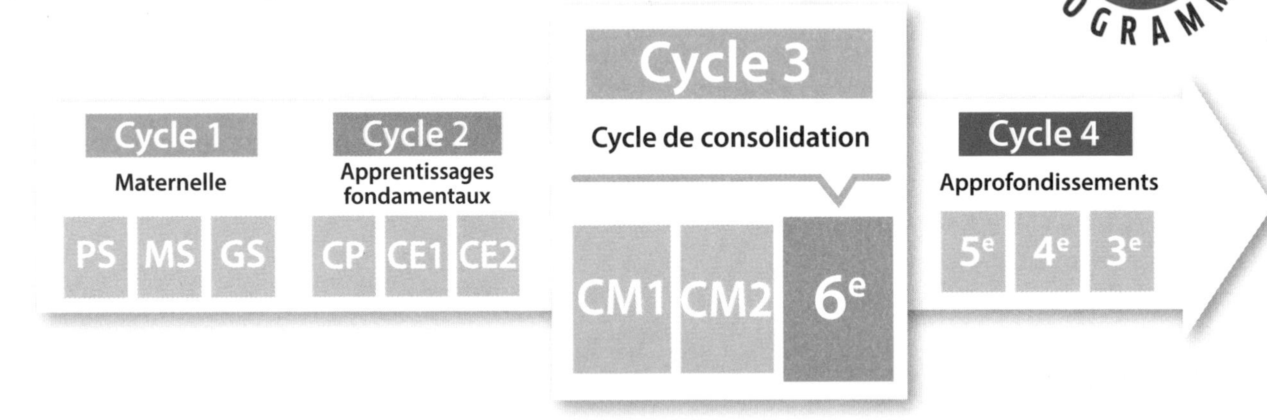

- La classe de 6e occupe une place particulière dans le cycle : elle permet aux élèves de s'adapter au rythme, à l'organisation pédagogique et au cadre de vie du collège tout en se situant dans la continuité des apprentissages engagés au CM1 et au CM2.
- Pour plus d'informations sur les nouveaux programmes, rendez-vous sur le site www.joursoir.fr !
- **Ce cahier de Français, destiné aux élèves de 6e, reprend toutes les notions du programme et couvre tous les domaines.**

– La rubrique « **J'observe et je retiens** » propose toutes les règles accompagnées d'exemples.
– La rubrique « **J'applique** » permet de vérifier que l'on a bien compris.
– La rubrique « **Je m'entraîne** » permet de réinvestir les acquisitions.
– Les **corrigés détachables** sont situés au centre du cahier.

Achevé d'imprimer en avril 2016 en Italie
par «La Tipografica Varese Srl» Varese
N° éditeur : 2016-0133 – Dépôt légal : avril 2016

Illustration de couverture : Antoine Moreau-Dursault – **Conception graphique :** Marie-Astrid Bailly-Maître (couvertures), Yannick Le Bourg (maquette intérieure) – **Réalisation :** Typo-Virgule

Sommaire

→ Les corrigés détachables de tous les exercices se trouvent au centre de l'ouvrage.

GRAMMAIRE

CONJUGAISON

VOCABULAIRE

ORTHOGRAPHE

ANNEXES

1 Le nom

→ Corrigés p.I

J'observe et je retiens

Le nom constitue le noyau du groupe nominal. Il existe plusieurs catégories de noms :
- **noms communs :** *chat, verre, homme* ;
- **noms propres :** *Élise, Paris* ;
- **noms concrets** (que l'on peut percevoir par l'un des cinq sens) : *table, musique, parfum* ;
- **noms abstraits** (que l'on ne peut pas percevoir par l'un des cinq sens mais seulement par la pensée) : *courage, justice, vérité, humour* ;
- **noms animés** (êtres vivants) : *lion, sœur* et **inanimés** (ce qui n'est pas vivant) : *table*.

Souvent, les noms s'écrivent au singulier et au pluriel.
- Les mots en **-ou** font leur pluriel en **-ous** (sauf : *bijoux, cailloux, genoux, choux, hiboux, joujoux, poux*).
- Les mots en **-au**, **-eau**, **-eu** font leur pluriel en **-aux**, **-eaux**, **-eux** (sauf : *landaus, sarraus, pneus, bleus*).
- Les noms en **-al** font leur pluriel en **-aux** (sauf : *bal, carnaval, cérémonial, chacal, étal, festival, récital,* régal → pluriel en **-als**).
- Les noms en **-ail** font leur pluriel en **-ails** (sauf : *bail, corail, émail, soupirail, travail, vantail, vitrail* qui font leur pluriel en **-aux**).
- Les noms en **-s**, **-x**, **-z** ont la même forme au pluriel et au singulier (*un nez, des nez*).

J'applique

1 ★ **Entoure l'intrus dans chaque liste (ce peut être d'après les distinctions féminin/masculin ; animés/inanimés ; concrets/abstraits).**

Exemple : *espadon – escalier – espion – escargot.*

1. fusée – année – musée – ondée.
2. fondue – ski – skieur – neige.
3. chasseur – chien – gibier – fusil.
4. flûte – musicien – cacophonie – guitare.

Je m'entraîne

2 ★★ **Voici des noms animés qui s'écrivent différemment au féminin et au masculin : écris leur féminin.**

1. docteur → ....
2. instituteur → ....
3. poulet → ....
4. pâtissier → ....
5. loup → ....
6. canard → ....
7. électeur → ....
8. chanteur → ....
9. fripon → ....
10. coq → ....

3 ★★ **Écris le pluriel des mots suivants.**

1. canal → ....
2. récital → ....
3. gaz → ....
4. bétail → ....
5. rail → ....
6. bail → ....
7. cérémonial → ....
8. détail → ....
9. amiral → ....
10. radical → ....
11. chenal → ....
12. cheval → ....

4 ★★★ **Écris les phrases suivantes au pluriel.**

1. Le chacal n'aime pas le chou.

....

2. Je t'échange un caillou contre un bijou.

....

3. Le cosmonaute m'a raconté qu'il avait vu un veau bleu.

....

4. Son neveu a entendu un coucou dans les bois.

....

Auto évaluation Très bien ☐ Bien ☐ Pas assez bien ☐

2 Les articles définis et indéfinis

→ Corrigés p. I

J'observe et je retiens

Exemples

1. *Un pingouin passait par là ; lorsque Kayak vit le pingouin, il se dirigea vers lui.*
   n'a pas encore été désigné — déjà mentionné
2. *Le lion du zoo s'ennuie.*
   connu
3. *Les canards aiment l'eau.*
   catégorie
4. *Un homme est venu, que je ne connais pas.*
   inconnu
5. *Achète des clémentines.*
   nombre non précisé

- L'article défini **le, la, les** détermine de façon **précise** le nom qu'il précède.
- L'article indéfini **un, une, des** détermine de façon **imprécise**, sans le caractériser, le nom qu'il précède.

Attention
Le et la s'élident devant une voyelle (*l'étranger*) ou un h muet (*l'hirondelle*).
Avec les prépositions à et de, les articles le et les se contractent :
à le → au ;
à les → aux ;
de le → du ;
de les → des.

J'applique

1 ★ **Complète les phrases suivantes avec une forme élidée ou contractée de l'article : l' – du – au – aux – des.**

1. .... étranger dont je te parle était italien.
2. Je dirai bonjour .... gardien .... parc.
3. .... hirondelle revient .... pays chauds.
4. En as-tu parlé .... filles ?

2 ★★ **Précise si des correspond à l'article indéfini ou à l'article défini contracté (mis pour de les).**

1. Sophie se soucie toujours des vacances à l'avance.
   ....
2. Des représentants sont passés à la maison.
   ....
3. Ils se soucie des autres. ....
4. Pour faire une bonne bouillabaisse, il faut des poissons de la Méditerranée. ....
5. Je ne me souviens pas des histoires que tu m'as racontées. ....
6. Les enfants des voisins sont là.
   ....

Je m'entraîne

3 ★★ **Mets au pluriel les groupes nominaux entre parenthèses.**

1. Je vais (au bois) ....
2. Je suis fatigué (de la ville) ....
3. Je voudrais un gâteau (à la fraise) ....
4. Je me souviens (de l'histoire) ....
5. Je vais (à la cuisine) ....
6. J'en parlerai (au professeur) ....
7. Je m'occupe (du jardin) ....

4 ★★★ **Complète les phrases avec des articles définis ou indéfinis.**

1. Quand tu iras faire poser ton dentier, demande .... dentiste de bien le fixer ! – 2. En revenant .... cinéma, j'ai croisé ...... homme à l'air étrange. – 3. .... abeilles vivent dans .... ruches. – 4. Rends-moi .... écharpe que je t'ai prêtée. – 5. .... avion est le moyen de transport le plus rapide. – 6. Cet homme a .... bateau. – 7. Pour réussir ce gâteau, il faut ajouter .... zeste d'orange.

Auto évaluation — Très bien ☐ Bien ☐ Pas assez bien ☐

3 Les pronoms personnels

→ Corrigés p. I

J'observe et je retiens

Exemple : *Hier, j'avais perdu mon chien, je l'ai cherché partout. Il s'était caché dans le grenier. Aurais-tu pensé à y monter ?*

- *Je* et *tu* ne remplacent aucun nom ni groupe nominal, ils désignent celui ou celle qui parle et celui ou celle à qui l'on s'adresse directement.
- *L'* (pour *le*, C.O.D.), *il* (sujet), *s'* (pour *se*, forme réfléchie, complément du verbe) désignent le chien ; *y* (pronom adverbial) évite la répétition de *grenier*.

- Certains **pronoms personnels** sont employés pour remplacer un **nom** ou un **groupe nominal** et éviter ainsi une répétition. Le pronom **il** est employé aussi dans les **tournures impersonnelles** comme *il pleut, il est tard.*
- D'autres encore sont appelés **pronoms personnels réfléchis** quand ils désignent la même personne que le sujet du verbe, à la **forme pronominale**.
- Les pronoms personnels varient selon : la **personne** et le **genre** ; le **nombre** ; la **fonction**.

			Compléments du verbe			
		sujet	**C.O.D.**	**C.O.I.**	**formes réfléchies**	**pronoms adverbiaux**
singulier	**1re personne**	je	me	me	me	
	2e personne	tu	te	te	te	
	3e personne	il/elle	le/la	lui	se	en/y
pluriel	**1re personne**	nous	nous	nous	nous	
	2e personne	vous	vous	vous	vous	
	3e personne	ils/elles	les	leur	se	en/y

Rappel
On emploie parfois trois formes accentuées : moi, toi, soi.

J'applique

1 ★ En t'inspirant de l'exemple de la leçon, analyse de la même façon les pronoms personnels soulignés.

1. Demain, nous (....................................) allons à la piscine.
2. Voulez-vous (..) y (.....................................) aller ?
3. J'ai prévenu Cassandre, elle (.............................) nous rejoindra à seize heures.

2 ★★ Dans ces phrases, le, la ou l' sont-ils des pronoms personnels ou des articles définis ?

1. Je l'ai déjà dit ! ....
2. Le carrosse est parti. ....
....
3. Je ne le vois plus. ....
....
4. La chemise bleue est trop grande. ....
....
5. Si tu veux cette chemise, je te la donne. ....
....
6. Où as-tu mis la clé ? ....
....
7. Bien que je préfère le cassoulet, je ne l'ai pas choisi.
....

3 ★★ **Remplace les mots soulignés par les pronoms personnels qui conviennent.**

1. J'ai déjà parlé à cette femme.

→ Je................ ai déjà parlé.

2. Tu ne dois pas toucher à ton magnétoscope.

→ Tu ne dois pas .... toucher.

3. J'ai fait des crêpes aux enfants

→ Je .... ai fait des crêpes.

4. Le chat miaule. → .... miaule.

5. J'aime la dinde bien cuite.

→ Je .... aime bien cuite.

6. Elle m'a déjà parlé de cette histoire.

→ Elle m'................ a déjà parlé.

4 ★★ **Complète les phrases par les pronoms personnels qui conviennent.**

1. Léo veut jouer avec nous, donne-....... une raquette.

2. .... ne fait pas chaud.

3. .... ne vais pas retourner à la cave, j' .... reviens !

4. Les saucisses, je .... aime bien grillées.

5. Je .... expliquerai cet exercice pour éviter qu'ils se trompent.

6. .... sont déjà parties.

7. Cette fille m'agace, je ne veux plus .... voir ici.

8. Quand est-elle allée en Grèce ? Elle .... est allée l'an dernier.

9. Olivier, Alexandre et toi, ... partirez en voiture.

10. Alix et moi, ... vous suivrons en moto.

11. .... est temps de partir.

12. N'oublie pas que demain tu .... lèves de bonne heure.

5 ★★★ **Récris les phrases suivantes en remplaçant les groupes nominaux soulignés par les pronoms personnels nous ou vous et en mettant les verbes entre parenthèses au présent de l'indicatif.**

1. Pierre, sa sœur et moi (déménager) les vieux meubles du grenier.

....

2. Lino et toi (nager) dans la piscine ; Louis et moi (refuser) de plonger.

....

3. (Déguster) Marine et vous souvent des crevettes à la confiture ?

....

....

4. Lui et moi (chanter) faux et (faire) fuir les spectateurs.

....

5. Mathis, Kevin et toi (partir) en VTT pour la plage.

....

6 ★★★ **Récris les phrases suivantes en remplaçant les groupes nominaux soulignés par en ou y.**

1. Je suis revenu de Lyon ce matin.

....

2. Je vais à Lyon en train.

....

3. Nous parlerons de ton projet.

....

4. J'ai fait allusion à ton projet.

....

5. Nous nous sommes rencontrés à la patinoire.

....

6. À quelle heure sortirez-vous de la patinoire ?

....

7. Tu devrais ajouter de la mayonnaise à tes crevettes.

....

Auto évaluation Très bien ☐ Bien ☐ Pas assez bien ☐

Les pronoms possessifs et démonstratifs

→ Corrigés p. I

J'observe et je retiens

Les pronoms démonstratifs

1. *« Je veux ceux-ci ! » dit-il en montrant les choux à la crème.*
2. *Je cherchais partout mon chat ; celui-ci s'était caché au grenier.*
3. *Il a traversé l'Atlantique en planche à voile. C'est incroyable !*
4. *J'hésite entre ces deux voitures : celle-ci est plus rapide, celle-là est plus confortable.*

Un **pronom démonstratif** remplace le plus souvent un groupe nominal précédé d'un déterminant démonstratif.

- **Singulier** : *celui, celui-ci, celui-là, celle, celle-ci, celle-là, ce (c'), ceci, cela, ça.*
- **Pluriel** : *ceux, ceux-ci, ceux-là, celles, celles-ci, celles-là.*
- Il est utilisé pour :

– ce que l'on montre (exemple 1) ;
– ce dont on vient de parler (exemples 2 et 3) ;
– opposer deux éléments (exemple 4).

Les pronoms possessifs

Mon stylo n'écrit plus : puis-je emprunter le tien ?

Un **pronom possessif** remplace un groupe nominal précédé d'un déterminant possessif.

Le mien, la mienne, les miens, les miennes, le tien, la tienne, les tiens, les tiennes, le nôtre, le vôtre, le leur, la leur, les leurs.
(Dans l'exemple, *le tien* est mis pour ton stylo.)

J'applique

1 ★ Pour éviter les répétitions, remplace les groupes nominaux entre parenthèses par les formes composées du pronom démonstratif (celle-ci, etc.).

1. J'ai acheté des pommes.
(Ces pommes) .... sont bien mûres.
2. Il a rencontré des touristes.
(Ces touristes) .... étaient perdus.
3. Je ne sais plus quel vélo choisir ; je vais prendre (ce vélo-ci) .... ou peut-être (ce vélo-là) ....
4. C'est une belle occasion ;
nous devons saisir (cette occasion) ....

2 ★★ Complète les phrases avec le pronom possessif qui convient.

1. J'ai pris mon parapluie, as-tu pris .... ? – **2.** Elle a terminé ses devoirs et lui n'a même pas commencé .... – **3.** Nous prenons nos valises mais vous, vous porterez .... – **4.** Voici quel était mon rêve, à toi de me raconter .... – **5.** Léa a rangé toutes ses affaires, mais Théo et Aurélien n'ont pas encore rangé .... – **6.** Tu crois m'impressionner avec ta moto, mais tu n'as pas encore vu .... – **7.** Vous dites que nous faisons une drôle de tête ; avez-vous vu .... ?

Je m'entraîne

3 ★★ **Récris les phrases en remplaçant les groupes nominaux soulignés par des pronoms possessifs.**

1. Comme tu as emporté <u>mes asticots</u>, j'ai pris <u>les asticots de ton père</u>.

....

....

2. Elle a donné <u>ses bijoux</u> et a demandé <u>ton bracelet</u>.

....

....

3. <u>Ta signature</u> est souvent confondue avec <u>ma signature</u>.

....

....

4. Pourrais-tu me prêter <u>tes lunettes de soleil</u> ?

....

....

5. Mon grand-père a perdu <u>sa pipe</u> dans un manège.

....

....

6. <u>Vos bagages</u> ont été oubliés avec <u>nos bagages</u>.

....

....

4 ★★★ **Complète les phrases avec un pronom démonstratif.**

1. Fais .... que tu veux ! – 2. .... qui veulent venir sont les bienvenus. – 3. Arrête de critiquer tout .... que je fais ! – 4. Voici .... qui est arrivée première au cross du collège. – 5. Tu peux prendre ...., s'exclama-t-il en lui donnant des rollers neufs. – 6. Lorsque .... s'est produit, il était sur un canot pneumatique. – 7. .... m'étonnerait que Titouan soit le plus fort, puisque .... qui a gagné n'est autre que mon frère !

5 ★★★ **Complète les phrases avec le pronom possessif accordé qui convient : la vôtre – la nôtre – le(s) vôtre(s) – le(s) nôtre(s).**

1. Notre enfant serait un fripon et .... un ange ? – 2. Votre barque prend l'eau et .... est en réparation ; nous n'irons pas à la pêche ! – 3. Nos dessins seront exposés à la mairie ; où .... seront-ils exposés ? – 4. Votre tour viendra, pour l'instant c'est .... ! – 5. Notre sirène fait trop de bruit et .... pas assez. – 6. Mes parents sont peut-être agaçants, mais .... sont invivables. – 7. Vos amis ne partent pas pour l'Irlande et .... ont décidé d'annuler leur week-end à Rome. – 8. Nous n'aurons pas assez de raquettes, alors prenez .... !

Attention
Aux 1re et 2e personnes du pluriel, le pronom possessif prend un accent circonflexe, mais pas le déterminant possessif.

6 ★★★ **Complète le texte avec les pronoms possessifs et les pronoms démonstratifs qui s'imposent.**

THOMAS. – Bonjour Eugénie, je viens t'emprunter une raquette de tennis car .... est cassée !

EUGÉNIE. – Pas de problème (*ils vont à la cuisine*), dis-moi laquelle tu veux : .... est antiadhésive et .... est parfaite pour le poisson.

THOMAS. – Excuse-moi, mais .... que je désire n'est autre qu'une raquette, car le tamis de .... est troué.

EUGÉNIE. – Décidément, mes oreilles vont mal ! Déjà .... de ma mère ne fonctionnent pas bien ; .... est héréditaire, paraît-il !

Auto évaluation Très bien ☐ Bien ☐ Pas assez bien ☐

5 Les déterminants démonstratifs et possessifs

→ Corrigés p. I

J'observe et je retiens

Exemple : *Lucas compte ses billes et les range dans sa trousse.*

- ses : **dét. possessif** accordé au fém. pluriel (les billes de Lucas)
- sa : **dét. possessif** accordé au fém. sing. (la trousse de Lucas)

Le **déterminant possessif** établit une relation entre un nom ou un pronom et un autre nom.
Les formes varient selon :
- le genre et le nombre du nom qu'il détermine **(sa, son, ses...)** ;
- le genre et le nombre du possesseur **(ma, ta, sa, notre...)**.

Exemple : *Ce parc est très agréable. J'aime ces fleurs et cette lumière.*

- Ce : **dét. démonstratif** accordé au masc. sing.
- ces : **dét. démonstratif** accordé au fém. plur.
- cette : **dét. démonstratif** accordé au fém. sing.

Le **déterminant démonstratif** est utilisé pour montrer quelque chose. Il varie selon le genre et le nombre du nom qu'il détermine.

Exemple : *J'hésite entre cette robe-ci et cette robe-là.*

Les formes composées du déterminant démonstratif permettent d'opposer deux choses : ***ci*** désigne ce qui est **proche** dans le temps ou l'espace ; ***là*** ce qui est **éloigné**.

J'applique

1 ★ Pour éviter les répétitions, remplace les groupes nominaux soulignés par les déterminants possessifs qui conviennent.

Exemple : *l'histoire que tu nous racontes → ton histoire.*

1. la farce que vous avez faite → ....
2. la surprise qu'il prépare → ....
3. les moustaches qui font sa fierté → ....
4. le drôle de nez que j'ai → ....
5. l'appartement où ils habitent → ....

Je m'entraîne

2 ★ Complète les phrases suivantes avec ce ou cet.

1. .... homme est fou ! – 2. .... été, je partirai en Grèce. – 3. .... garçon est sympathique. – 4. Regarde .... oiseau.

3 ★★ Complète les phrases avec le déterminant possessif qui convient.

1. J'ai perdu .... clés ; comment vais-je rentrer chez moi ? – 2. Il nous rapporte toujours des souvenirs de .... voyages. – 3. Dépêche-toi ou tu vas rater .... train ! – 4. Les trapézistes sont excellents, je vous emmène voir .... acrobaties. – 5. Il a perdu .... valise à l'aéroport.

4 ★★★ Choisis son ou sont.

Astuce
Sont, verbe être, peut être remplacé par étaient.

1. .... rêve est d'aller à Tahiti. – 2. Les fruits .... tous bons tant qu'ils .... mûrs. – 3. Il suit toujours .... idée. – 4. Il aime .... travail. – 5. .... accent étrange.

Très bien ☐ Bien ☐ Pas assez bien ☐

6 L'adjectif qualificatif épithète

→ Corrigés p.I

J'observe et je retiens

Exemple : *Un pêcheur maladroit est tombé dans la rivière. Les vieilles carpes ont bien ri.*

L'adjectif épithète n'est pas séparé du nom par un verbe. Il fait **partie du G.N.** : il qualifie le nom. Il s'accorde en genre et en nombre avec celui-ci (*les* ***vieilles*** *carpes*).

Exemple : *Voici des brochets et des carpes tout frais.*

Quand l'adjectif est épithète d'un nom masculin et d'un nom féminin, le **masculin l'emporte**.

Attention
Un participe passé peut avoir une valeur d'adjectif et être épithète.
Exemple : *Voici des brochets et des carpes congelés.*

J'applique

1 ★ **Complète les commentaires suivants.**

adjectif qualificatif épithète qui précise l'aspect des .... ; s'accorde en genre et en nombre avec ....

Au temps de l'Égypte ancienne, les pyramides colossales servaient de tombeaux aux pharaons. Aujourd'hui, ces monuments remarquables ne sont plus que des objets de curiosité pour touristes.

adjectif qualificatif épithète qui précise l'aspect des .... ; s'accorde en genre et en nombre avec ....

2 ★★ **Dans le texte suivant, souligne les adjectifs épithètes et relie-les au(x) nom(s) qu'ils accompagnent à l'aide d'une flèche.**

Exemple : *Ces individus impolis m'exaspèrent.*

Lorsque j'entrai dans le stade bondé, je constatai que l'ambiance était déchaînée. Certains spectateurs maquillés et déguisés agitaient des drapeaux multicolores pendant que d'autres scandaient le nom de leur joueur préféré.Trente mille personnes grisées allaient suivre la rencontre sportive de l'année !

Je m'entraîne

3 ★★ **Écris les G.N. suivants au féminin pluriel.**

Attention
Certains mots ont une forme différente au féminin.

1. un vieil ami → ....
2. un grand frère attentif → ....
3. un petit garçon impoli → ....
4. un ancien instituteur → ....
5. un méchant ogre bavard → ....
6. un lion menaçant → ....

4 ★★★ **Transforme les groupes de mots soulignés en adjectifs épithètes.**

1. une joueuse d'exception → ....
2. un allure de roi → ....
3. le magazine du mois → ....
4. un comportement d'enfant → ....
5. un élevage de bœufs → ....
6. une silhouette de femme → ....
7. une réaction que l'on ne peut prévoir → ....
8. un travail effectué avec minutie → ....

Auto évaluation — Très bien ☐ Bien ☐ Pas assez bien ☐

7 La classe grammaticale (nature) des mots

→ Corrigés p.II

J'observe et je retiens

La **nature** d'un mot est la **classe grammaticale** à laquelle il appartient. Elle ne change jamais, quelle que soit la phrase dans laquelle est employé ce mot. On distingue les mots **variables** et les mots **invariables**.

Mots variables

- Les **noms** : *chat, table.*
- Les **pronoms** : personnels (*lui*), possessifs (*la vôtre*), démonstratifs (*ce*), interrogatifs (*lesquels*), indéfinis (*aucun*), relatifs (*auquel, qui, où*), adverbiaux (*en, y*).
- Les **déterminants** : articles partitifs (*du*), définis (*la*) et indéfinis (*un*), déterminants possessifs (*son*), démonstratifs (*ces*), exclamatifs (*quelles*), interrogatifs (*quel*), indéfinis (*quelques*), adjectifs numéraux cardinaux (*un, deux, trois*...).
- Les **adjectifs qualificatifs** : *beau, fragile.*
- Les **verbes** : *dormir, viens.*

> **Attention**
> Les adjectifs numéraux ordinaux (premier, deuxième...) appartiennent à la catégorie des adjectifs qualificatifs.

Mots invariables

- Certains **noms propres** : *Lyon, Pierre.*
- Les **adverbes** : circonstanciels (*ici, demain, mal*), de manière (*facilement*), de quantité (*trop*), de négation et de restriction (*ne... pas, ne... que*), d'interrogation (*pourquoi*), de liaison (*en effet*), d'exclamation (*quoi*).
- Les **prépositions** : *par, pour, près de, avant, sauf, avec, selon.*
- Les **interjections** : *oh !, zut, aïe.*
- Les **conjonctions de coordination** : *mais, ou, et, donc, or, ni, car* (il y en a sept).
- Les **conjonctions de subordination** : *quand, parce que, bien que, pour que...*

J'applique

1 ★ Observe les mots suivants et écris V s'ils sont variables ou I s'ils sont invariables.

1. la : .... – 2. là : .... – 3. prends : .... – 4. quoi ! : .... – 5. son : .... – 6. sont : .... – 7. zut : .... – 8. pour que : .... – 9. ce : .... – 10. se : ....

Je m'entraîne

2 ★★ Relie chaque nature de mot proposée au mot souligné correspondant.

1. conjonction de coordination •
2. préposition de coordination •
3. pronom personnel •
4. nom •

• a. Viens <u>après</u> huit heures.
• b. Tu travailles <u>ou</u> tu t'amuses ?
• c. Ton sac est là où tu <u>l'</u>as laissé.
• d. Je n'ai pas eu assez de <u>gâteau</u>.

3 ★★★ En t'aidant de la règle, analyse les mots soulignés dans le texte suivant.

Le <u>Premier</u> ministre <u>a annoncé</u> que les victimes des inondations seraient <u>rapidement</u> indemnisées.
Il a affirmé <u>son</u> soutien aux sinistrés et a déclaré qu'il se rendrait sur les <u>lieux</u> dès <u>la</u> semaine prochaine.

1. Premier : ....
2. a annoncé : ....
3. rapidement : ....
4. son : ....
5. lieux : ....
6. la : ....

Auto évaluation Très bien ☐ Bien ☐ Pas assez bien ☐

8 Phrase verbale/Phrase non verbale

→ Corrigés p.II

J'observe et je retiens

Une phrase **verbale** a pour **noyau un verbe.**

Ce verbe peut être conjugué :
- à un **mode personnel** (indicatif, subjonctif, impératif). **Exemple :** *Le chat miaule* ;
- à un **mode impersonnel** (infinitif, participe, gérondif). **Exemple :** *Ne pas fumer*.

La phrase **non verbale** est une phrase **sans verbe**.

Rappel
Une phrase est définie comme une suite de mots commençant par une majuscule et se terminant par un point.

Elle se rencontre sous différentes formes :
- construite autour d'un **groupe nominal. Exemple :** *Baisse de la température. – Le Petit Poucet* ;
- constituée d'**un seul mot. Exemple :** *Viens-tu avec nous ? Oui ! – Quelle heure est-il ? Midi* ;
- dans des phrases **exclamatives** ou **interrogatives. Exemple :** *Quelle chaleur ! – Pourquoi tous ces cadeaux ?*

J'applique

1 ★ Indique s'il s'agit d'une phrase verbale (V) ou non verbale (NV).

1. Il fait trop chaud ! ....
2. Quelle histoire ! ....
3. Pourquoi en fais-tu toute une histoire ? ....
4. À quand les prochaines vacances ? ....
5. Reprise des hostilités. ....
6. Fumer est dangereux pour la santé. ....
7. Tremblement de terre : trois morts. ....
8. Quelle corvée, cet exercice ! ....

Je m'entraîne

2 ★★ Transforme ces phrases verbales en phrases non verbales.

1. Attention, il y a un risque d'avalanche. → ....
2. Qu'y a-t-il de neuf ? → ....
3. Comme ce chien est affectueux ! → ....
4. Je vous présente ma sœur. → ....

3 ★★★ En ajoutant à chaque fois un groupe verbal, transforme ces phrases non verbales en phrases verbales.

Exemple : *Départ des voyageurs à dix heures.*
→ *Les voyageurs partiront à dix heures.*

1. Chutes de neige sur les Alpes cette semaine.
→ ....
2. Interdiction d'utiliser son téléphone portable.
→ ....
3. Survol de la base navale par un avion espion.
→ ....
4. Baisse des prix dans les supermarchés. → ....
5. Vol à la Banque de France. → ....

Auto évaluation Très bien ☐ Bien ☐ Pas assez bien ☐

9 La ponctuation

→ Corrigés p.II

J'observe et je retiens

On trouve les signes de ponctuation à l'intérieur et à la fin des phrases.

Ils s'emploient à la fin d'une phrase et sont suivis d'une **majuscule** :
- Le **point. Exemple :** *Eliott a oublié son téléphone sur le bureau.* (Phrase déclarative.)
- Le **point d'exclamation. Exemples :** *Eliott a encore oublié son téléphone ! Prends ton téléphone !* (Phrase exclamative ou impérative.)
- Le **point d'interrogation. Exemple :** *Eliott rêve-t-il ?* (Phrase interrogative.)

Ils s'emploient à l'intérieur d'une phrase et sont suivis d'une **minuscule** :
- La **virgule. Exemple :** *À la sortie du collège, vers cinq heures, j'ai vu un accident.* (Pause légère.)
- Le **point-virgule. Exemple :** *Les secours sont arrivés rapidement ; personne n'a été blessé.* (Pause un peu plus forte.)
- Le **deux points. Exemple :** *Je voudrais devenir comédien : j'adore le théâtre.* (Pour introduire une explication, un exemple, une énumération.)
- Les **points de suspension. Exemple :** *Eh bien... C'est moi qui ai mangé la dernière part de tarte.* (Pour marquer une hésitation ou une interruption.)

L'utilisation majuscule/minuscule est parfois modifiée :
- **Exemple :** *Zut ! je me suis trompé.*

Si la phrase se poursuit, le point d'exclamation est suivi d'une minuscule.

- **Exemple :** *Que fais-tu ? demanda-t-elle.*

Si la phrase se poursuit, le point d'interrogation est suivi d'une minuscule.

- **Exemple :** *Alors le capitaine s'écria : « Tirez ! »*

Quand le deux-points introduit une phrase ou une citation, celle-ci commence par une majuscule.

J'applique

1 ★ Rétablis la ponctuation à la fin de chaque phrase.

1. Les hirondelles s'envolent vers le sud en automne... – 2. Pourquoi tant de haine... – 3. Quelle horreur... – 4. Sania et Léo adorent la région d'Arbois... – 5. J'ai planté des tulipes de toutes les couleurs... – 6. La France fait partie de l'Union européenne... – 7. Iras-tu en Grèce cette année... – 8. C'est tout de même incroyable que tu n'aies pas encore terminé tes devoirs... – 9. Quels beaux yeux bleus a Cassandre... – 10. Thé ou café...

Je m'entraîne

2 ★★ Il manque un signe de ponctuation (...) à l'intérieur de chaque phrase, retrouve-le.

1. Je ne retrouvai aucune de mes affaires (...) sauf une paire de chaussettes. – 2. La neige (...) le givre et le vent sont habituels en hiver. – 3. « Ta voiture est-elle réparée (...) » demanda Sophie. – 4. Franck leur répondit (...) « Je n'ai pas encore eu le temps de m'en occuper. » – 5. Khalid nous énuméra ce qu'il avait pêché (...) un rouget (...) deux rascasses et un thon. – 6. Le temps était radieux (...) ils décidèrent de ne pas aller travailler.

Auto évaluation Très bien ☐ Bien ☐ Pas assez bien ☐

10 Les types et formes de phrases

→ Corrigés p.II

J'observe et je retiens

Exemples : 1. *Vous courez.* – 2. *Courez-vous ?* – 3. *Comme vous courez !* – 4. *Courez !* ou *Courez.*

► Il existe quatre types de phrases :
- la **phrase déclarative** (exemple 1) donne une information et se termine par un point ;
- la **phrase interrogative** (exemple 2) pose une question et se termine par un point d'interrogation ;
- la **phrase exclamative** (exemple 3) exprime une émotion et se termine par un point d'exclamation ;
- la **phrase injonctive** (exemple 4) exprime un ordre et se termine par un point d'exclamation ou un point.

Exemples : *Vous courez.* (affirmative) *Vous ne courez pas.* (négative)

Ces phrases peuvent prendre la forme **affirmative** ou **négative**.

J'applique

1 ★ Repère les types de phrases.

1. Le match a été reporté à cause du mauvais temps. ....
2. Quel manque de chance ! ....
3. Il n'y aura pas de chahut dans ce groupe. ....
4. Comme tu as de grands pieds, comme tu as de grandes mains ! ....
5. Nino, apporte-moi les journaux et sors la poubelle ! ....
6. Fera-t-il beau demain ? ....

Je m'entraîne

2 ★★ Emploie la forme négative.

1. Lisez à haute voix ! ....
2. Son père a refusé de l'inscrire au club de judo. ....
3. Il pleure toujours, il crie très fort, il parle mal à ses parents. ....
4. Le train de 18 h 30 partira du quai n° 5. ....
5. Autrefois, on pouvait voyager facilement. ....
6. Dépêche-toi ! ....

3 ★★★ Récris les phrases suivantes à la forme affirmative et précise à chaque fois s'il s'agit d'une phrase déclarative, injonctive, interrogative ou exclamative.

1. Ne doit-on pas l'opérer cette semaine ? ....
2. Ils n'ont pas été gentils avec toi ? ....
3. N'y pensez plus ! ....
4. Pourquoi n'ont-elles pas acheté les billets de train ? ....

Auto évaluation Très bien ☐ Bien ☐ Pas assez bien ☐

11 Les propositions indépendantes juxtaposées et coordonnées

→ Corrigés p. II

J'observe et je retiens

■ **Exemple :** *J'ai acheté une voiture neuve.*

Une **phrase simple** est construite autour d'**un seul verbe.**

■ **Exemple :** *J'ai acheté une voiture neuve car la mienne est accidentée.*

Une **phrase complexe** comporte plusieurs propositions, construites **chacune autour d'un verbe.**
Il y a autant de propositions qu'il y a de verbes.

■ **Exemples :**

Il est affamé ; il mange tout le temps.
Plusieurs propositions sont séparées par une **virgule**, un **point-virgule** ou **deux points** : ce sont des **propositions indépendantes juxtaposées.**

Il a beaucoup grossi car il mangeait tout le temps.
Plusieurs propositions sont séparées par une **conjonction de coordination** : ce sont des **propositions indépendantes coordonnées.**

■ Il existe sept **conjonctions de coordination** : *mais, ou, et, donc, or, ni, car.*

■ Une conjonction de coordination peut aussi coordonner simplement deux groupes de mots ayant une même fonction à l'intérieur d'une proposition.

Attention
Ne pas confondre **ou** avec **où** (voir fiche 40), ni **et** avec **est** (voir fiche 41).

■ **Exemples :**

Elle est bête et méchante. → Deux attributs du sujet coordonnés par **et** : une proposition.

Elle est bête et elle est méchante !
Verbe n° 1 — Verbe n° 2

Deux propositions indépendantes coordonnées par **et.**

J'applique

1 ★ **Indique si ces phrases sont simples (S) ou complexes (C).**

1. J'aperçois des arbres, quelques maisons et une route. .... – 2. J'irais bien dehors mais j'ai oublié mon parapluie. .... – 3. Ton père a besoin d'une casserole et d'une cuillère. .... – 4. Tu sors ou tu rentres ? .... – 5. Léa n'aime ni le poulet ni les frites. .... – 6. Tu ne regarderas pas ce film car tu dois faire tes devoirs. ....

2 ★★ **Relie chaque proposition avec l'une des sept conjonctions de coordination (tu dois toutes les employer une fois).**

1. Je vais me faire cuire un œuf .... j'ai faim. – 2. Je voulais me faire cuire un œuf .... Théo les a tous gobés ! – 3. Je coupe de la ciboulette .... je la mélange aux œufs. – 4. Tu peux faire une omelette aujourd'hui .... tu peux garder les œufs pour demain. – 5. J'ai faim .... je vais me faire cuire un œuf. – 6. Je voudrais préparer un gâteau .... il n'y a plus d'œufs ! – 7. Non ! Je ne t'ai pas préparé d'omelette .... fait d'œufs brouillés !

Je m'entraîne

3 ★★ Ces propositions sont-elles coordonnées ou juxtaposées ?

1. Gilberte a de grands pieds ; elle ne trouve pas facilement de chaussures. ....
2. Gilberte a de grands pieds donc elle ne trouve pas facilement de chaussures ! ....
3. Basile aimerait bien courir mais il a une jambe dans le plâtre. ....
4. Je sors ; il fait trop chaud ici. ....
5. Il pleut, les grenouilles coassent de plaisir. ....

4 ★★★ Transforme ces propositions indépendantes juxtaposées en propositions indépendantes coordonnées.

1. J'aimerais bien me baigner ; l'eau est froide.
....
2. Blanche-Neige ne savait pas où aller ; les sept nains lui ont proposé de l'héberger.
....
3. Je n'ai jamais rencontré le Petit Chaperon rouge dans les bois ; il s'y promène souvent.
....
4. Je déteste faire des frites ; il faut éplucher les pommes de terre.
....

5 ★★★ Transforme ces propositions indépendantes coordonnées en propositions indépendantes juxtaposées.

1. Je ne téléphonerai pas à Arthur car nous sommes fâchés.
....
2. J'avais acheté des sardines fraîches mais le chat les a toutes mangées !
....
3. Nicolas s'est coupé lui-même les cheveux donc il a l'air d'un clown !
....
4. Nina me semble très bizarre car elle saupoudre de sucre ses haricots verts.
....
5. Il n'y a pas de nuages donc il va geler cette nuit.
....
6. Ma voiture est tombée en panne donc il m'a prêté son tracteur.
....
7. Agnès avait prévu une fondue, or Tom a oublié le fromage !
....
8. Je ne peux pas chausser ces bottes car elles sont trop petites.
....
9. Le nouvel ordinateur de papy fonctionne bien car nous avons reçu son message électronique.
....
10. La sonnerie de mon téléphone portable est pénible donc je l'ai supprimée.
....

Auto évaluation Très bien ☐ Bien ☐ Pas assez bien ☐

GRAMMAIRE

12 L'interrogation totale et partielle

→ Corrigés p.II

J'observe et je retiens

Exemples : 1. *Viendras-tu me voir pendant les vacances ?*
2. *Est-ce que tu viendras me voir pendant les vacances ?*
3. *Tu viendras me voir pendant les vacances ?*

L'**interrogation totale** porte sur toute la phrase ; la réponse sera **oui** ou **non**. On pratique l'inversion du sujet (exemple 1). À l'oral, on utilise la formule « est-ce que » (exemple 2).

Exemples : 4. *Quel jour viendras-tu ?*
5. *Qui viendra me voir ?*
6. *Quand viendras-tu ?*

Attention
Parfois, seule l'intonation marque l'interrogation (exemple 3).

L'**interrogation partielle** porte sur **un élément** de la phrase. Elle commence par un mot interrogatif : déterminant (exemple 4), pronom (exemple 5) ou adverbe (exemple 6).

J'applique

1 ★ Précise pour chaque phrase s'il s'agit d'une interrogation totale (T) ou partielle (P).

1. Qu'est-ce que tu veux ? ...... – 2. Qui veux-tu voir ? ...... – 3. Vous souhaitiez me voir ? ...... – 4. As-tu pris rendez-vous chez le dentiste ? ...... – 5. Qui est là ? ...... – 6. Quels rosiers avez-vous plantés ? ...... – 7. Quand allons-nous à la plage ? ...... – 8. Allons-nous à la plage à vélo ? ......

Je m'entraîne

2 ★ Quelle information est recherchée dans ces interrogations partielles : sujet (S), complément d'objet direct (C.O.D.), circonstanciel de temps (C.C.T.), de lieu (C.C.L.), de moyen (C.C.M.) ?

1. Qui va là ? .... – 2. Dans quel restaurant dînerons-nous ce soir ? .... – 3. Quelle tenue vais-je mettre pour sortir ? .... – 4. À quelle heure le train part-il ? .... – 5. Avec quels ingrédients fais-tu cette recette ? .... 6. Qui inviteras-tu ce week-end ? .... – 7. Où avez-vous mis les clés ? ....

3 ★★ Transforme ces phrases en phrases interrogatives, en faisant porter la question sur l'élément souligné.

1. En hiver, les cigognes partent <u>dans le Sud</u>.

....

....

2. <u>En hiver</u>, les cigognes partent dans le Sud.

....

....

3. <u>Nadia</u> a téléphoné.

....

....

4. Clara a acheté <u>un gâteau</u> pour mon anniversaire.

....

....

5. Il peut jouer cette mélodie <u>avec sa guitare</u>.

....

....

Auto évaluation   Très bien ☐   Bien ☐   Pas assez bien ☐

13 Distinguer nature et fonction

→ Corrigés p.II

J'observe et je retiens

Exemples :

1. *Cassandre nous rejoindra demain.* → Fonction : sujet du verbe *rejoindra* – Nature : nom propre.
2. *J'ai rencontré Cassandre hier.* → Fonction : C.O.D. du verbe *ai rencontré* – Nature : nom propre.
3. *Agathe nous a parlé de Cassandre.* → Fonction : C.O.I. du verbe *a parlé* – Nature : nom propre.

- La **nature** d'un mot est la **classe grammaticale** à laquelle il appartient : nom propre, nom commun, adjectif, adverbe, conjonction de coordination, etc. **Elle ne change jamais** quelle que soit la phrase dans laquelle est employé ce mot.
- La **fonction** d'un mot correspond à son **rôle** dans la phrase ; **elle est donc variable.** Un mot n'a de fonction que par rapport aux autres mots de la phrase.

J'applique

1 ★ Pour chaque phrase, indique la fonction du groupe nominal souligné.

1. Le chat s'est caché dans la grange. ....
2. J'ai aperçu le chat dans la grange. ....
3. As-tu donné des croquettes au chat ? ....
4. Je me suis occupé du chat ce matin. ....
5. Mon animal favori, c'est le chat. ....
6. Le pelage du chat est très doux. ....

Je m'entraîne

2 ★★ Souligne les C.O.D. et indique leur nature.

1. Je déteste la choucroute ! ....
2. J'adore skier. ....
3. Je hais les dimanches ! ....
4. Je connais très bien Bérénice. ....

3 ★★★ Complète ce tableau pour les mots soulignés.

	Nature	Fonction
1. Cendrillon est allée au bal.		
2. La fée a offert une robe magnifique à Cendrillon.		
3. Le prince a épousé Cendrillon.		
4. Ce garçon est un diable.		
5. Le diable n'existe pas.		
6. Ce pic rocheux s'appelle la dent du Diable.		
7. Paris est la capitale de la France.		
8. Agathe vit à Paris.		

Auto évaluation Très bien ☐ Bien ☐ Pas assez bien ☐

14 Compléments du verbe (C.O.D./C.O.I.)

→ Corrigés p.II

J'observe et je retiens

Exemples : 1. *Je donne une gifle* *à Paul.*
- *une gifle* → **C.O.D.** du verbe donner
- *à Paul* → **C.O.I.** du verbe donner

2. *Je te prie de sortir.*
- *te* → **C.O.D.** du verbe prier
- *de sortir* → **C.O.I.** du verbe prier

3. *Je me souviens de cette chanson.*
- *de cette chanson* → **C.O.I.** du verbe se souvenir

► Le complément d'objet direct (**C.O.D.**) et le complément d'objet indirect (**C.O.I.**) correspondent à l'être ou la chose sur lesquels s'exerce l'action du verbe. Compléments essentiels du verbe (on les appelle également « **compléments du verbe** », **on ne peut les supprimer**.

- Le **C.O.D.** : on l'appelle **direct** car il n'y a pas **de préposition** entre le verbe et lui ; il est introduit directement.
- Le **C.O.I.** : on l'appelle **indirect** car il est introduit par **une préposition** (souvent **à** ou **de**).

Les prépositions *à* et *de* se contractent parfois avec les articles définis :
à le → **au** ; à les → **aux** ; de le → **du** ; de les → **des**.

J'applique

1 ★ Donne la fonction des mots soulignés : C.O.D. ou C.O.I.

1. C'est à ta mère que tu parles sur ce ton ? .... – 2. As-tu vu la chauve-souris ? .... – 3. J'ai offert des chocolats .... à mon professeur. .... – 4. Ne dis rien. .... – 5. Avant de partir, je laisserai un mot .... à Olivier. .... – 6. Anouk m'a .... montré sa nouvelle robe .... ; je n'aime pas la dentelle. .... – 7. Tu devrais mettre du parfum. .... – 8. Veux-tu jouer aux dames ? .... – 9. Je pense souvent aux vacances. .... – 10. Demain, je t'achèterai .... des chaussures ....

2 ★ Complète les phrases suivantes avec un complément choisi dans la liste ci-dessous : mon argent – un os – une histoire drôle – un gâteau – de la crème – quels livres.

Attention
Chaque complément ne doit être utilisé qu'une seule fois.

1. Je donne .... à mon chien.
2. J'apporte .... pour ma grand-mère.
3. Je ne jouerai jamais .... au poker !
4. Raconte-moi ....
5. Mets .... sur tes fraises.
6. .... as-tu déjà lus ?

Je m'entraîne

3 ** **Souligne les C.O.D. et indique leur nature (G.N., pronom, verbe à l'infinitif, proposition).**

1. Je veux que tu restes. ....

....

2. J'aime dormir ! ....

....

3. Voici la tarte que j'ai préparée. ....

....

4. Tu me racontes des histoires ! ....

....

5. Je mange tous les jours une pomme. ....

....

6. Le samedi, Luce fait ses courses. ....

....

7. Que dis-tu ? ....

....

8. Je reprendrai volontiers un peu de café. ....

....

9. Amène-les. ....

....

4 ** **Chacune des phrases suivantes contient un C.O.I. : souligne-le.**

1. À quatre heures, tu téléphoneras la nouvelle à Gaston. – 2. Peux-tu m'acheter des timbres à la poste ? – 3. À Rennes, j'ai écrit une carte postale à Sarah. – 4. Je lui ai donné à manger tout à l'heure et il a encore faim ! – 5. Parlez-moi de lui. – 6. Pour Anaïs, nous avons acheté une panoplie de cow-boy au supermarché. – 7. Je te parlerai plus tard. – 8. Le prince est arrivé à cheval au château pour donner un baiser à la Belle au bois dormant. – 9. Le professeur oblige les élèves à faire leurs exercices. – 10. « L'avion va décoller pour New York ; nous vous prions d'attacher vos ceintures. »

5 *** **Souligne les compléments d'objet et indique si ce sont des C.O.D. ou des C.O.I.**

1. Je tiens beaucoup aux objets anciens. .... – 2. Chaque automne, nous ramassons des marrons avec les enfants. .... – 3. L'hôtesse a parlé des consignes de sécurité. .... – 4. Je me moque des intempéries ! .... – 5. Ne te mêle pas des histoires des autres ! .... – 6. Ce soir, Léa s'occupera des enfants. .... – 7. Je reprendrais bien du saucisson. .... – 8. Tu fais du cinéma ! .... – 9. Va en parler à l'Assemblée. .... – 10. Simon ne se souvient pas du titre. ....

6 *** **Les groupes de mots soulignés sont des compléments d'objet indirects. Récris chaque phrase en les remplaçant par un pronom. Que remarques-tu dans certains cas ?**

Exemple : *Je prête mes skis à Sophie.*
→ *Je lui prête mes skis.*

1. Il a interdit à ses enfants de sortir.

....

2. Demande plutôt l'autorisation à ta mère !

....

3. Elle chantera cette nouvelle chanson pour ses fans.

....

4. Tu devrais rendre le livre à Sophie.

....

→ **Remarque :** ....

....

....

....

....

....

....

....

Auto évaluation Très bien ☐ Bien ☐ Pas assez bien ☐

15 Le sujet et l'attribut du sujet

→ Corrigés p.III

J'observe et je retiens

Exemples : *Lou chante une chanson.* → **voix active** : le sujet fait l'action.
Lou est heureuse. → **construction attributive** avec un verbe d'état : on donne une information sur l'état ou l'identité du sujet.

- C'est avec le **sujet** que **le verbe** s'accorde en **genre** et en **nombre**. Élément principal de la phrase, le sujet ne peut être supprimé. (Attention toutefois, à l'impératif, le sujet n'est pas écrit : *Sois sage !*)
- L'**attribut du sujet** ne peut pas non plus être supprimé. Il est construit avec un verbe d'état (*être*, *sembler*, *paraître*, *devenir*, *rester*, *passer pour*, etc.).
- Quand il est adjectif ou participe passé, l'**attribut du sujet s'accorde** avec le sujet en genre et en nombre.

J'applique

1 ★ **Souligne le sujet de chaque phrase et entoure l'attribut du sujet quand tu en repères un.**

1. Alexandre est resté un grand enfant. – 2. J'aime les cerises. – 3. Comme tu cours vite ! – 4. C'est ce que je préfère. – 5. L'essentiel est que vous partiez à l'heure. – 6. Souffler n'est pas jouer. – 7. À force de travailler, elle est devenue excellente élève. – 8. Émilie restera à la maison. – 9. Elle est restée calme ! – 10. Hier sont venus mes cousins. – 11. Il passera par Lyon. – 12. Ce sont eux ! – 13. Tu sembles fatiguée.

Je m'entraîne

2 ★★ **Accorde les attributs du sujet avec le sujet quand tu le peux.**

1. Mes animaux favoris sont (le chat) ....
....

2. Cette femme passe pour (un espion) ....
....

3. Le fruit défendu était (une pomme) ....
....

4. Mes enfants passent pour (intelligent) ....
....

5. Ils demeuraient (immobile) ....
....

6. Elles sont devenues (prétentieux) ....
....

7. Juliette et Lucie semblent (studieux) ....
....

3 ★★★ **Transforme ces phrases afin d'obtenir des attributs du sujet, en utilisant un verbe d'état.**

Exemple : *Fatigué, il ne terminera pas ses devoirs.*
→ *Il semble fatigué ; il ne terminera pas ses devoirs.*

1. Trop gourmand, il finit toujours les plats. ....
....

2. Étourdi, tu as mis une chaussette rouge et une verte.
....
....

3. Coléreuse, elle tape du pied quand on la mécontente.
....
....

Auto évaluation Très bien ☐ Bien ☐ Pas assez bien ☐

16 Les compléments circonstanciels de lieu et de temps

→ Corrigés p.III

J'observe et je retiens

Exemples : 1. *Dimanche après-midi, nous sommes allés au zoo.*
2. *Nous avons vu des otaries et des singes mais le puma s'est caché à cause du bruit.*

Circonstanciel signifie **ce qu'il y a autour de l'action** et non au centre comme les compléments d'objet. Le plus souvent, le complément circonstanciel (ou **complément de phrase**), qui n'est pas essentiel, peut être déplacé ou supprimé.

Il peut y avoir plusieurs compléments circonstanciels dans une phrase (exemple 1). On trouve parmi les compléments circonstanciels :

- le **C.C. de temps** qui répond à la question : **quand** ? *Dimanche après-midi* ;
- le **C.C. de lieu** qui répond à la question : **où ?** *Au zoo*.

Remarque
Certains C.C. de lieu ne peuvent pas être supprimés. **Exemple :** Je vais à Paris.

J'applique

1 ★ Supprime, en les barrant, les compléments circonstanciels de ces phrases, en préservant leur sens minimal.
Exemple : *L'an dernier, Oscar a été exclu du collège.*
→ *~~L'an dernier~~, Oscar a été exclu ~~du collège~~.*

1. En début de soirée, Valentine s'est endormie sur le canapé. – 2. Hier, je suis partie très tôt pour éviter les embouteillages. – 3. Pendant le spectacle, Bérénice et Antonio n'ont pas arrêté de parler. – 4. Nous ne partirons pas aujourd'hui pour Marseille. – 5. Le mois dernier, il a fait très chaud à Athènes. – 6. Nous rejoindrez-vous à la plage cet après-midi ?

Je m'entraîne

2 ★★ Souligne en rouge les compléments circonstanciels de temps et en bleu les compléments circonstanciels de lieu.

1. Devant la mairie, les futurs mariés attendent le maire depuis une heure. Ils auront du retard : ils arriveront à l'église après tout le monde !

2. La tempête a détruit les cabanes sur la plage ; on espère une accalmie dans vingt-quatre heures.

3. La semaine dernière, nous avons vu un film passionnant au cinéma. Dans la salle, on n'entendait pas un bruit.

3 ★★★ Pose une question à propos du complément circonstanciel souligné.

Exemple : *Thésée partira en Crète dans deux jours.*
→ *Quand Thésée partira-t-il en Crète ?*

1. Thésée entrera dans le labyrinthe.

....

....

2. On a imaginé les aventures des héros grecs dans l'Antiquité.

....

....

3. Le Minotaure était enfermé dans un labyrinthe.

....

....

Auto évaluation Très bien ☐ Bien ☐ Pas assez bien ☐

17 Les compléments circonstanciels de manière et de moyen

→ Corrigés p. III

J'observe et je retiens

Exemple : *Jim décore sa chambre avec des posters, accrochés au moyen de punaises.*

Le **complément circonstanciel de moyen** désigne l'instrument à l'aide duquel s'accomplit l'action.
Il est supprimable ou déplaçable.
Il répond à la question : **à l'aide de quoi ? au moyen de quoi ? grâce à quoi ?**

Exemple : *Le magicien cache les lapins dans son chapeau avec une grande adresse.*

Le **complément circonstanciel de manière** indique la manière dont se déroule l'action.
Il répond à la question : **comment ?**

J'applique

1 ★★ **Pour chaque complément circonstanciel souligné, indique s'il s'agit d'un C.C. de manière ou d'un C.C. de moyen.**

1. La guerre de Troie a été gagnée par les Grecs grâce à un cheval. ....
2. Ulysse a convaincu ses compagnons, avec beaucoup d'habileté, de construire un cheval géant, creux à l'intérieur. ....
3. Avec adresse, ses compagnons sont entrés à l'intérieur au moyen d'une échelle. ....
4. Quand les Troyens ont découvert avec surprise ce cheval géant, ils ont accueilli ce cadeau avec empressement. ....
5. Ils l'ont tiré à l'intérieur de la ville avec de grosses cordes. ....
6. La nuit venue, les guerriers grecs sont sortis de leur cachette sans un bruit et ont ouvert les portes. ....

Je m'entraîne

2 ★★ **Souligne les compléments circonstanciels de manière.**

1. Durant toute la semaine, il a plu à seaux ! – 2. Le dentiste lui a parlé avec beaucoup de douceur. – 3. Que lui avez-vous fait ? Il est parti en pleurant ! – 4. Zoé s'exprime encore avec beaucoup de difficultés. – 5. Leïla réussit sans effort. – 6. Tu peux faire cet exercice de plusieurs façons. – 7. Ne marche pas pieds nus ou tu vas t'enrhumer rapidement !

3 ★★★ **Complète ces phrases avec un complément circonstanciel de moyen, en variant la préposition ou la locution prépositive qui l'introduit.**

1. J'ai acheté un nouveau téléphone. → ....
2. Agathe nous rejoindra. → ....
3. J'ai attaché les vélos sur la voiture. → ....
4. Elles ont construit une cabane. → ....

Très bien ☐ Bien ☐ Pas assez bien ☐

18 L'infinitif

→ Corrigés p.III

J'observe et je retiens

Exemple : *En voyant ta grand-mère sur des skis, tu aurais dû nous avertir et l'empêcher de prendre cette piste noire !*

- L'infinitif est la forme du verbe qui n'a pas subi de transformation : il ne porte ni les marques de personne ni les marques de temps.
- On classe les verbes en fonction de la terminaison de leur infinitif :
  - **verbes en -*er*** (*empêcher*) (ou « verbes du 1er groupe »), **sauf *aller*** ;
  - **verbes en -*ir*** (*avertir*) dont le participe présent se termine en ***-issant*** (*avertissant*) (ou « verbes du 2e groupe ») ;
  - **autres verbes** (*prendre, devoir, voir, lire…*) (ou « verbes du 3e groupe »).

J'applique

1 ★★ Dans les phrases suivantes, souligne les verbes conjugués et donne leur infinitif.

1. Ma petite sœur fait collection de coquillages.

→ ....

2. Elle a ramené un drôle de spécimen de l'île d'Oléron. → ....

3. Tu crois que si je le plonge dans la baignoire il saura nager ? → ....

Je m'entraîne

2 ★★ Trouve l'infinitif des verbes suivants puis classe-les dans le tableau ci-dessous.

tu skies ; elle sortira ; vous réfléchirez ; nous jouons ; ils comprennent ; je m'endors ; vous saviez ; elle intervient ; je peins ; attrape ; tu fournirais ; vous pourriez ; finis ; elles accrocheront ; je lis ; il a mordu ; nous avons rougi ; ils avaient quitté ; j'avertirai ; elle réussissait.

Verbes en -*er*	....
Verbes en -*ir*/-*issant*	....
Autres verbes	....

3 ★★★ Un intrus s'est glissé dans chaque liste de verbes à l'infinitif ; entoure-le.

1. terminer – cheminer – charmer – ruisseler – jeter – aller – nager.
2. devenir – aplatir – punir – maudire – finir – salir – saisir.
3. coudre – pondre – appartenir – fournir – comprendre – faire.
4. courir – pourrir – mourir – convenir – dire.

4 ★★★ Conjugue les verbes suivants à la 1re personne du singulier et du pluriel du présent de l'indicatif, puis dis si ce sont des verbes en -*ir*/-*issant* ou d'autres verbes.

1. Rugir : je .... ; nous .... ;
....
2. Venir : je .... ; nous .... ;
....
3. Finir : je .... ; nous .... ;
....
4. Tenir : je .... ; nous .... ;
....

Auto évaluation Très bien ☐ Bien ☐ Pas assez bien ☐

19 Être et avoir : indicatif présent et futur

→ Corrigés p.III

J'observe et je retiens

indicatif présent	
être	**avoir**
je suis	j'ai
tu es	tu as
il est	il a
nous sommes	nous avons
vous êtes	vous avez
ils sont	ils ont

indicatif futur	
être	**avoir**
je serai	j'aurai
tu seras	tu auras
il sera	il aura
nous serons	nous aurons
vous serez	vous aurez
ils seront	ils auront

Ne pas confondre le verbe avoir (*a*) avec la préposition (*à*). Voir aussi fiche 39.

J'applique

1 ★ Complète les phrases avec à chaque fois une forme du verbe être et une forme du verbe avoir, au présent ou au futur.

1. Vous .... en ce moment devant les chutes du Niagara ; vous .... l'occasion de les prendre en photo alors profitez-en ! – 2. Elle .... au musée ; elle .... droit à une visite guidée par le directeur. – 3. Nous .... plaisir à vous revoir l'année prochaine ; vous .... les bienvenus. – 4. Les journalistes .... sur la plage et .... le scoop de l'année : le requin bleu .... la peau verte.

Je m'entraîne

2 ★★ Mets les verbes au pluriel et fais les transformations nécessaires (en gardant le même temps).

1. Il a du mal à être sérieux. .... – 2. Je suis en train de téléphoner. .... – 3. Tu es malade et tu n'as pas de manteau ! .... – 4. Je suis seul ; tu n'es pas là. .... – 5. Quand seras-tu là ? .... – 6. Elle a un caniche, elle est folle de lui ! .... – 7. Son père est ministre, il rencontre beaucoup de monde. .... – 8. Sa fille est admise à l'école de cirque ; elle a de la chance ! .... – 9. Tu es muette ; n'as-tu rien à me dire ? ....

3 ★★ Complète ce texte en choisissant le verbe avoir ou être que tu conjugueras à l'indicatif présent puis à l'indicatif futur.

1. Je ..../.................. dans les bois. – 2. J'........................./.................. un panier. – 3. Il y ..../.................. beaucoup de cèpes en cette saison ; ils ..../.................. sous les sapins. – 4. Dans une clairière, un sanglier ..../.................. en train de faire la sieste. – 5. En me voyant, il ..../.................. peur.

Auto évaluation Très bien ☐ Bien ☐ Pas assez bien ☐

20 L'indicatif présent : verbes en *-er* et en *-ir/-issant*

→ Corrigés p.III

J'observe et je retiens

Verbes en *-er*		Verbes en *-ir/-issant*
chanter	**appuyer**	**finir**
je chante tu chante**s** il chante nous chant**ons** vous chant**ez** ils chant**ent**	j'appuie tu appuies il appuie nous appuy**ons** vous appuy**ez** ils appui**ent**	je fini**s** tu fini**s** il fini**t** nous fini**ssons** vous fini**ssez** ils fini**ssent**

- Les verbes en **-cer** prennent une **cédille** devant a et o : *placer/plaçons.*
- Les verbes en **-ger** prennent un **e** devant a et o : *nager/nageons.*
- Les verbes en **-guer** gardent le **u** devant a et o : *naviguer/naviguons.*
- Les verbes qui se terminent par **-ayer, -uyer, -oyer** ont deux radicaux :
  - en **y** si le a, le o ou le u sont suivis d'une voyelle prononcée : *nous essuyons* ;
  - en **i** si le a, le o ou le u sont suivis d'un e muet : *tu essuies.*

J'applique

1 ★ **Conjugue les verbes suivants à l'indicatif présent, 1re personne du singulier et du pluriel (je et nous).**

1. narguer → ....
2. commencer → ....
3. prononcer → ....
4. nager → ....
5. prodiguer → ....
6. manger → ....
7. élaguer → ....
8. larguer → ....
9. déplacer → ....
10. menacer → ....

2 ★ **Conjugue les verbes suivants à l'indicatif présent, 2e personne du singulier et du pluriel (tu et vous).**

1. rajeunir → ....
2. mincir → ....
3. salir → ....
4. pâlir → ....
5. blanchir → ....
6. choisir → ....

Je m'entraîne

3 ★★ **Le texte est écrit au passé ; restitue le temps d'origine, c'est-à-dire l'indicatif présent.**

Poil de Carotte n'aimait pas les amis de la maison. Ils le dérangeaient, lui prenaient son lit et l'obligeaient à coucher avec sa mère. Et si le jour il possédait tous les défauts, la nuit il avait principalement celui de ronfler. Il ronflait exprès sans doute.

Jules RENARD, *Poil de Carotte.*

....

....

....

....

Auto évaluation — Très bien ☐ Bien ☐ Pas assez bien ☐

21 L'indicatif présent : autres verbes

→ Corrigés p.III

J'observe et je retiens

partir	aller	vouloir	craindre	battre	perdre	offrir
je pars tu pars il part nous part**ons** vous part**ez** ils part**ent**	je vais tu vas il va nous all**ons** vous all**ez** ils v**ont**	je veu**x** tu veu**x** il veut nous voul**ons** vous voul**ez** ils veul**ent**	je crains tu crains il craint nous craign**ons** vous craign**ez** ils craign**ent**	je bats tu bats il bat nous batt**ons** vous batt**ez** ils batt**ent**	je per**ds** tu per**ds** il per**d** nous perd**ons** vous perd**ez** ils perd**ent**	j'offre tu offres il offre nous offr**ont** vous offr**ez** ils offr**ent**

- Terminaisons : singulier : **-s**, **-s**, **-t** ou **-ds**, **-ds**, **-d** ou **-x**, **-x**, **-t** ; pluriel : **-ons**, **-ez**, **-ent**.
- Sont concernés : les verbes en ***-ir*** qui ont leur participe présent en *-ant* ; le verbe *aller* (irrégulier) ; les verbes en ***-oir*** et ***-re***.

Attention
Certains verbes (*assaillir, cueillir, tressaillir, offrir, ouvrir, souffrir*) ont les terminaisons des verbes en *-er* (*je cueille, tu cueilles*…).

J'applique

1 ★★ **Conjugue les verbes suivants aux 1re et 3e personnes du singulier (je et il) de l'indicatif présent.**

1. peindre → ....
2. cueillir → ....
3. tordre → ....
4. attendre → ....
5. combattre → ....
6. mentir → ....
7. apparaître → ....
8. apprendre → ....
9. ouvrir → ....
10. répondre ....

2 ★★ **Conjugue les verbes suivants à la 2e personne du singulier et du pluriel (tu et vous) de l'indicatif présent.**

1. souffrir → ....
2. mourir → ....
3. prendre → ....
4. mettre → ....
5. combattre → ....
6. vendre → ....
7. mordre → ....
8. connaître → ....
9. courir → ....
10. boire → ....

Je m'entraîne

3 ★★★ **Mets les verbes entre parenthèses à l'indicatif présent.**

Paul (choisir) .... un beau paysage ; il (vouloir) .... peindre. Après quelques hésitations, il (s'asseoir) .... devant une magnifique forêt. Il (sortir) .... son matériel et (prendre) .... quelques tubes de gouache. Il ne (connaître) .... pas bien l'endroit mais il (sentir) .... que son tableau sera réussi. Il (entreprendre) .... son travail. De gros nuages (apparaître) .... ; il (pleuvoir) ....

Auto évaluation — Très bien ☐ Bien ☐ Pas assez bien ☐

22 Les valeurs du présent

→ Corrigés p.IV

J'observe et je retiens

Exemple : *Puisqu'il fait beau aujourd'hui, je vous propose un pique-nique.*

Ces verbes conjugués au présent expriment une action qui correspond au moment où l'on parle.
C'est le **présent d'actualité.**

Exemple : *L'eau bout à cent degrés.*

Ce verbe conjugué au présent exprime un fait constamment valable. C'est le **présent de vérité générale.**

Exemple : *Le combat devenait de plus en dur, mais voilà qu'un cavalier arrive et domine la mêlée.*

Ces verbes sont conjugués au présent dans un récit au passé. C'est le **présent de narration.**

J'applique

1 ★ Reconnais-tu un présent de narration ou un présent de vérité générale ?

1. La nuit, tous les chats sont gris.

....

2. Persée s'avançait prudemment, sachant qu'il ne devait pas regarder dans les yeux la Méduse… Tout à coup, il aperçoit son reflet sur son bouclier.

....

3. Le Petit Chaperon rouge flânait dans les bois, quand arrive un énorme loup qui lui sourit.

....

4. Les loups sont des animaux qui vivent en meute.

....

2 ★★ Reconnais-tu un présent d'actualité, un présent de vérité générale ou un présent de narration ?

1. Blanche-Neige préparait un gâteau quand, par la fenêtre de la cuisine, elle aperçoit une vieille femme qui lui tend une pomme.

....

2. Je vous présente mon cousin Oscar.

....

3. L'habit ne fait pas le moine.

....

4. Tu sais que j'ai raison, alors pourquoi me contredire ?

....

5. Les tigres sont une espèce en voie de disparition.

....

6. Il fait trop chaud ici, peux-tu ouvrir une fenêtre ?

....

Je m'entraîne

3 ★★★ Conjugue les verbes entre parenthèses au présent de l'indicatif et précise à chaque fois la valeur du présent.

1. Il (pleuvoir) ...., prends ton parapluie ! – 2. Qui (être) .... à l'appareil ? – 3. Quel gâteau (vouloir) ....-vous ? – 4. Archimède prenait un bain quand il (découvrir) .... le principe de la poussée des corps dans l'eau.

Auto évaluation Très bien ☐ Bien ☐ Pas assez bien ☐

23 L'indicatif futur

→ Corrigés p.IV

J'observe et je retiens

Exemple : *Dans un an, je m'envolerai pour Miami.*

On forme le futur en ajoutant à l'**infinitif** les terminaisons : **-ai, -as, -a, -ons, -ez, -ont.**

Exemple : *Tu iras aussi à Moscou ?*

Mais certains verbes utilisent un autre radical que l'infinitif.

Verbes en *-er*	Verbes en *-ir/-issant*	Verbes en *-re*	Verbes irréguliers	
chanter	finir	craindre	aller	voir
je chanter**ai** tu chanter**as** elle chanter**a** nous chanter**ons** vous chanter**ez** elles chanter**ont**	je finir**ai** tu finir**as** elle finir**a** nous finir**ons** vous finir**ez** elles finir**ont**	je craindr**ai** tu craindr**as** elle craindr**a** nous craindr**ons** vous craindr**ez** elles craindr**ont**	j'ir**ai** tu ir**as** elle ir**a** nous ir**ons** vous ir**ez** elles ir**ont**	je verr**ai** tu verr**as** elle verr**a** nous verr**ons** vous verr**ez** elles verr**ont**

Remarque

- Les verbes en -eler ou -eter prennent deux l ou deux t → *tu appelleras ; je jetterai ; elle rappellera.* (Les exceptions prennent un accent grave → *il achètera ; je martèlerai.*)
- Les verbes en -yer changent le y en i → *appuyer ; il appuiera.*
- Mourir, courir, acquérir prennent deux r → *tu courras ; il acquerra ; je mourrai.*

J'applique

1 ★ Conjugue les verbes entre parenthèses à l'indicatif futur.

1. Tu (partir) .... quand je te le (dire) .... – 2. Nous (commencer) .... lorsque vous (sortir) .... – 3. Elle (envoyer) .... une carte postale dès son arrivée. – 4. Je (voir) .... bien ce qu'il (faire) .... – 5. Il (remercier) .... ton père pour ses conseils. – 6. Il (courir) .... si vite qu'il en (mourir) ....

Je m'entraîne

2 ★ Récris ce texte à l'indicatif futur.

Jacques monte dans sa chambre, ouvre la porte de son placard et prend une serviette de toilette. Il se rend dans sa salle de bains et se rase. Il se regarde attentivement et se recoiffe. Le téléphone sonne ; il court pour répondre. C'est sa sœur ; elle dit qu'elle ne vient pas au concert.

....

....

....

....

3 ★★ Dans les phrases suivantes, mets les verbes à l'indicatif futur et souligne, dans la terminaison, la voyelle qui ne se prononce pas.

1. Me (remercier) ....-tu ? – 2. Notre caniche n'(aboyer) .... pas. – 3. Michel (louer) .... son appartement à des étudiants. – 4. J'(essuyer) .... la vaisselle pendant que tu (balayer) .... la cuisine.

Auto évaluation Très bien ☐ Bien ☐ Pas assez bien ☐

24 L'indicatif imparfait

→ Corrigés p.IV

J'observe et je retiens

Pour conjuguer un verbe à l'indicatif imparfait, on ajoute **-ais**, **-ais**, **-ait**, **-ions**, **-iez**, **-aient** au radical.

			Verbes en *-er*	Verbes en *-ir/-issant*	Autres verbes
être	**avoir**	**aller**	**chanter**	**finir**	**partir**
j'ét**ais**	j'av**ais**	j'all**ais**	je chant**ais**	je finiss**ais**	je part**ais**
tu ét**ais**	tu av**ais**	tu all**ais**	tu chant**ais**	tu finiss**ais**	tu part**ais**
il ét**ait**	il av**ait**	il all**ait**	il chant**ait**	il finiss**ait**	il part**ait**
nous ét**ions**	nous av**ions**	nous all**ions**	nous chant**ions**	nous finiss**ions**	nous part**ions**
vous ét**iez**	vous av**iez**	vous all**iez**	vous chant**iez**	vous finiss**iez**	vous part**iez**
ils ét**aient**	ils av**aient**	ils all**aient**	ils chant**aient**	ils finiss**aient**	ils part**aient**

Attention

Certains verbes ont leur orthographe qui change suivant les personnes :

- *Je nageais* → les verbes en -ger prennent un e devant a.
- *Je commençais* → les verbes en -cer prennent une cédille devant a.
- *Je cataloguais* → les verbes en -guer gardent le u, même devant a.
- *Vous criiez* → pour les verbes en -ier, -iller, -illir, -yer, -gner, ne pas oublier le i de -ions et -iez.

J'applique

1 ★ Conjugue les verbes suivants à la 2e personne du pluriel (vous) de l'indicatif imparfait.

1. payer → ....
2. grésiller → ....
3. farcir → ....
4. briller → ....
5. cueillir → ....
6. rire → ....
7. venir → ....
8. grogner → ....
9. créer → ....
10. apprécier → ....

2 ★★ Conjugue les verbes suivants à la 3e personne du pluriel (ils) de l'indicatif imparfait.

1. nager → ....
2. annoncer → ....
3. finir → ....
4. placer → ....
5. remarquer → ....
6. calculer → ....
7. distinguer → ....
8. assiéger → ....

Je m'entraîne

3 ★★★ Parmi les formes suivantes, encadre celles qui sont à l'indicatif imparfait.

je buvais – nous courions – vous envoyiez – il envoyait – tu disais – vous étudiez – vous connaissiez – je souriais – elle allait – je voyageai – elle voltigeait – vous grignotiez – ils verdissaient – vous veillez – vous unifiez – nous vadrouillons – elles travaillaient.

Auto évaluation Très bien ☐ Bien ☐ Pas assez bien ☐

25 L'indicatif passé simple

→ Corrigés p.IV

J'observe et je retiens

avoir	être	aller
j'eus tu eus il eut nous eûmes vous eûtes ils eurent	je fus tu fus il fut nous fûmes vous fûtes ils furent	j'allai tu allas il alla nous allâmes vous allâtes ils allèrent

Verbes en *-er*	Verbes en *-ir/-issant*	Autres verbes		
chanter	**finir**	**partir**	**recevoir**	**tenir**
je chantai tu chantas il chanta nous chantâmes vous chantâtes ils chantèrent	je finis tu finis il finit } identiques au présent de l'indicatif nous finîmes vous finîtes ils finirent	je partis tu partis il partit nous partîmes vous partîtes ils partirent	je reçus tu reçus il reçut nous reçûmes vous reçûtes ils reçurent	je tins tu tins il tint nous tînmes vous tîntes ils tinrent

Attention
Pour les verbes du 1er groupe :
- *je mangeai* → les verbes en -ger prennent un e devant a ;
- *je naviguai* → les verbes en -ger gardent le u, même devant a ;
- *je commençai* → les verbes en -cer prennent une cédille devant a.

Pense à l'accent circonflexe aux 2e et 3e personnes du pluriel.

J'applique

1 ★ Conjugue les verbes suivants à l'indicatif passé simple, 2e personne du singulier (tu).

1. peindre ....
2. peigner ....
3. partager ....
4. renoncer ....
5. saler ....
6. salir ....
7. lire ....
8. lier ....

Je m'entraîne

2 ★★ Entoure les verbes qui ont des terminaisons identiques à l'indicatif présent et à l'indicatif passé simple pour les 1re, 2e et 3e personnes du singulier.

partir – finir – grandir – salir – pourrir – marcher – courir – voguer – obtenir – savoir – pouvoir – devoir – voir – bondir.

3 ★★ Conjugue les verbes entre parenthèses à l'indicatif passé simple.

Quand je la (voir) ...., j'(avoir) .... très peur. Je (courir) .... à toutes jambes pour lui échapper. Je (croire) .... qu'elle me poursuivait, aussi j'(accélérer) .... Tout le monde dans la rue me (regarder) .... bizarrement, je ne (comprendre) .... pas tout de suite. Je (ralentir) ...., me (retourner) .... : elle avait une jambe dans le plâtre !

Auto évaluation Très bien ☐ Bien ☐ Pas assez bien ☐

Corrigés

GRAMMAIRE

1 Le nom p.4

1 1. musée (masculin) – 2. skieur (animé) – 3. fusil (inanimé) – 4. cacophonie (abstrait).

2 1. doctoresse – 2. institutrice – 3. poulette – 4. pâtissière – 5. louve – 6. cane – 7. électrice – 8. chanteuse – 9. friponne – 10. poule.

3 1. canaux – 2. récitals – 3. gaz – 4. bétails – 5. rails – 6. baux – 7. cérémonials – 8. détails – 9. amiraux – 10. radicaux – 11. chenaux – 12. chevaux.

4 1. Les chacals n'aiment pas les choux. – 2. Nous vous échangeons des cailloux contre des bijoux. – 3. Les cosmonautes nous ont raconté qu'ils avaient vu des veaux bleus. – 4. Ses neveux ont entendu des coucous dans les bois.

2 Les articles définis et indéfinis p.5

1 1. L'étranger dont je te parle était italien. – 2. Je dirai bonjour **au** gardien **du** parc. – 3. L'hirondelle revient **des** pays chauds. – 4. En as-tu parlé **aux** filles ?

2 1. article défini contracté – 2. article indéfini – 3. article défini contracté – 4. article indéfini – 5. article défini contracté – 6. article défini contracté.

3 1. aux bois – 2. des villes – 3. aux fraises – 4. des histoires – 5. aux cuisines – 6. aux professeurs – 7. des jardins.

4 1. au – 2. du ; un – 3. Les ; des – 4. l' – 5. L' – 6. un – 7. un.

3 Les pronoms personnels p.6

1 1. nous : pronom personnel sujet – 2. vous : pronom personnel sujet ; y : pronom adverbial (évite la répétition de « piscine ») – 3. elle : pronom personnel sujet.

2 1. pronom personnel – 2. article défini – 3. pronom personnel – 4. article défini – 5. pronom personnel – 6. article défini – 7. pronom personnel.

3 1. lui – 2. y – 3. leur – 4. Il – 5. l' – 6. en.

4 1. lui – 2. Il – 3. Je ; en – 4. les – 5. leur – 6. Elles – 7. la – 8. y – 9. vous – 10. nous – 11. Il – 12. te.

5 1. Nous déménageons les vieux meubles du grenier.
2. Vous nagez dans la piscine ; nous refusons de plonger.
3. Dégustez-vous souvent des crevettes à la confiture ?
4. Nous chantons faux et faisons fuir les spectateurs.
5. Vous partez en VTT pour la plage.

6 1. J'en suis revenu ce matin. – 2. J'y vais en train. – 3. Nous en parlerons. – 4. J'y ai fait allusion. – 5. Nous nous y sommes rencontrés. – 6. À quelle heure en sortirez-vous ? – 7. Tu devrais y ajouter de la mayonnaise.

4 Les pronoms possessifs et démonstratifs p.8

1 1. Celles-ci – 2. Ceux-ci – 3. celui-ci ; celui-là – 4. celle-ci/celle-là.

2 1. le tien – 2. les siens – 3. les vôtres – 4. le tien – 5. les leurs – 6. la mienne – 7. la vôtre.

3 1. Comme tu as emporté les miens, j'ai pris les siens. – 2. Elle a donné les siens et a demandé le tien. – 3. La tienne est souvent confondue avec la mienne. – 4. Pourrais-tu me prêter les tiennes ? – 5. Mon grand-père a perdu la sienne dans un manège. – 6. Les vôtres ont été oubliés avec les nôtres.

4 1. ce – 2. Ceux – 3. ce – 4. celle – 5. ceux-ci – 6. cela – 7. Ça ; celui.

5 1. le vôtre – 2. la nôtre – 3. les vôtres – 4. le nôtre – 5. la vôtre – 6. les vôtres – 7. les nôtres – 8. les vôtres.

6 THOMAS. – Bonjour Eugénie, je viens t'emprunter une raquette de tennis car **la mienne** est cassée !

EUGÉNIE. – Pas de problème (*ils vont à la cuisine*), dis-moi laquelle tu veux : **celle-ci** est antiadhésive et **celle-là** est parfaite pour le poisson.

THOMAS. – Excuse-moi, **ce** que je désire n'est autre qu'une raquette, car le tamis de **la mienne** est troué.

EUGÉNIE. – Décidément, mes oreilles vont mal ! Déjà **celles** de ma mère ne fonctionnent pas bien ; **cela** est héréditaire, paraît-il !

5 Les déterminants démonstratifs et possessifs p.10

1 1. votre farce – 2. sa surprise – 3. ses moustaches – 4. mon drôle de nez – 5. leur appartement.

Aide
Devant un nom masculin commençant par une voyelle ou un h muet, l'adjectif démonstratif ce devient cet.

2 1. Cet – 2. Cet – 3. Ce – 4. cet.

3 1. mes – 2. ses – 3. ton – 4. leurs – 5. sa.

4 1. Son – 2. sont ; sont – 3. son – 4. son – 5. Son.

6 L'adjectif qualificatif épithète p.11

1 – colossales : adjectif qualificatif épithète qui précise l'aspect des **pyramides** ; s'accorde en genre et en nombre avec **pyramides**.

– remarquables : adjectif qualificatif épithète qui précise l'aspect des **monuments** ; s'accorde en genre et en nombre avec **monuments**.

2 Lorsque j'entrai dans le stade bondé, je constatai que l'ambiance était déchaînée. Certains spectateurs maquillés et déguisés agitaient des drapeaux multicolores pendant que d'autres scandaient le nom de leur joueur préféré. Trente mille personnes grisées allaient suivre la rencontre sportive de l'année !

3 1. de vieilles amies – 2. des grandes sœurs attentives – 3. des petites filles impolies – 4. d'anciennes institutrices – 5. de méchantes ogresses bavardes – 6. des lionnes menaçantes.

❹ 1. exceptionnelle – 2. royale – 3. mensuel – 4. puéril/enfantin/infantile – 5. bovin – 6. féminine – 7. imprévisible – 8. minutieux.

Attention
L'adjectif peut se former à partir d'un radical différent.
Exemple : *enfant, infantile.*

7 La classe grammaticale (nature) des mots p.12

❶ 1. V – 2. I – 3. V – 4. I – 5. V – 6. V – 7. I – 8. I – 9. V – 10. V.

❷ 1. b – 2. a – 3. c – 4. d.

❸ 1. adjectif qualificatif – 2. verbe – 3. adverbe – 4. adjectif possessif – 5. nom commun – 6. déterminant.

8 Phrase verbale/Phrase non verbale p.13

❶ 1. Phrase verbale – 2. Phrase non verbale – 3. Phrase verbale – 4. Phrase non verbale – 5. Phrase non verbale – 6. Phrase verbale – 7. Phrase non verbale – 8. Phrase non verbale.

❷ 1. Attention, risque d'avalanche. – 2. Quoi de neuf ? – 3. Quel chien affectueux ! – 4. Voici ma sœur.

❸ 1. Il a neigé sur les Alpes cette semaine. – 2. Il est interdit d'utiliser son téléphone portable. – 3. Un avion espion a survolé la base navale. – 4. Les prix ont baissé dans les supermarchés. – 5. Un vol a été commis à la Banque de France.

9 La ponctuation p.14

❶ 1. (.) – 2. (?) – 3. (!) – 4. (.) – 5. (.) – 6. (.) – 7. (?) – 8. (!) – 9. (!) – 10. (?)

❷ 1. (,) – 2. (,) – 3. (?) – 4. (:) – 5. (:) (,) – 6. (;)

10 Les types et formes de phrases p.15

❶ 1. déclarative – 2. exclamative – 3. déclarative – 4. exclamative – 5. injonctive – 6. interrogative.

❷ 1. Ne lisez pas à haute voix ! – 2. Son père n'a pas refusé de l'inscrire au club de judo. – 3. Il ne pleure jamais, il ne crie pas très fort, il ne parle pas mal à ses parents. – 4. Le train de 18 h 30 ne partira pas du quai n° 5. – 5. Autrefois, on ne pouvait pas voyager facilement. – 6. Ne te dépêche pas !

Remarque
Une phrase exprimant un ordre est ponctuée d'un point d'exclamation ou d'un point.

❸ 1. Doit-on l'opérer cette semaine ? (interrogative) – 2. Ont-ils été gentils avec toi ? (interrogative) – 3. Pensez-y encore ! (injonctive) – 4. Pourquoi ont-elles acheté les billets de train ? (interrogative).

11 Les propositions indépendantes juxtaposées et coordonnées p.16

❶ 1. phrase simple – 2. phrase complexe – 3. phrase simple – 4. phrase complexe – 5. phrase simple – 6. phrase complexe.

❷ 1. car – 2. mais/or – 3. et – 4. ou – 5. donc – 6. or/mais – 7. ni.

❸ 1. juxtaposées – 2. coordonnées – 3. coordonnées – 4. juxtaposées – 5. juxtaposées.

❹ 1. J'aimerais bien me baigner mais l'eau est froide. – 2. Blanche-Neige ne savait pas où aller donc les sept nains lui ont proposé de l'héberger. – 3. Je n'ai jamais rencontré le Petit Chaperon rouge dans les bois or il s'y promène souvent. – 4. Je déteste faire des frites car il faut éplucher les pommes de terre.

❺ 1. Je ne téléphonerai pas à Arthur ; nous sommes fâchés. – 2. J'avais acheté des sardines fraîches, le chat les a toutes mangées ! – 3. Nicolas s'est coupé lui-même les cheveux : il a l'air d'un clown ! – 4. Nina me semble très bizarre, elle saupoudre de sucre ses haricots verts. – 5. Il n'y a pas de nuages : il va geler cette nuit. – 6. Ma voiture est tombée en panne, il m'a prêté son tracteur. – 7. Agnès avait prévu une fondue ; Pierrick a oublié le fromage ! – 8. Je ne peux pas chausser ces bottes : elles sont trop petites. – 9. Le nouvel ordinateur de papy fonctionne bien : nous avons reçu son message électronique. – 10. La sonnerie de mon téléphone portable est pénible ; je l'ai supprimée.

12 L'interrogation totale et partielle p.18

❶ 1. P – 2. P – 3. T – 4. T – 5. P – 6. P – 7. P – 8. T.

❷ 1. S – 2. C.C.L. – 3. C.O.D. – 4. C.C.T. – 5. C.C.M. – 6. C.O.D. – 7. C.C.L.

❸ 1. Où les cigognes partent-elles en hiver ? – 2. Quand les cigognes partent-elles dans le Sud ? – 3. Qui a téléphoné ? – 4. Qu'a acheté Clara pour mon anniversaire ? – 5. Avec quoi peut-il jouer cette mélodie ?

13 Distinguer nature et fonction p.19

❶ 1. Sujet – 2. C.O.D. – 3. C.O.S. – 4. C.O.I. – 5. Attribut du sujet. 6. Complément du nom.

❷ 1. la choucroute : G.N. – 2. skier : verbe à l'infinitif – 3. les dimanches : G.N. – 4. Bérénice : nom propre.

❸ 1. Nom propre, sujet de « est allée » – 2. Nom propre, C.O.S. – 3. Nom propre, C.O.D. – 4. G.N., attribut du sujet – 5. G.N., sujet du verbe « existe » – 6. G.N., complément du nom « dent » – 7. Nom propre, sujet de « est » – 8. Nom propre, complément circonstanciel de lieu.

14 Compléments du verbe (C.O.D./C.O.I.) p.20

❶ 1. C.O.I. – 2. C.O.D. – 3. C.O.D. ; C.O.I. – 4. C.O.D. – 5. C.O.D. ; C.O.I. – 6. C.O.I. ; C.O.D. ; C.O.D. – 7. C.O.D. – 8. C.O.I. – 9. C.O.I. – 10. C.O.I. ; C.O.D.

❷ 1. un os – 2. un gâteau – 3. mon argent – 4. une histoire drôle – 5. de la crème – 6. Quels livres.

❸ 1. que tu restes (proposition) – 2. dormir (verbe à l'infinitif) – 3. que (pronom relatif) – 4. des histoires (G.N.) – 5. une pomme (G.N.) – 6. ses courses (G.N.) – 7. que (pronom interrogatif) – 8. un peu de café (G.N.) – 9. les (pronom personnel).

Attention
Le C.O.D. est parfois séparé du verbe par un autre complément (C.C. par exemple).

❹ 1. à Gaston – 2. m' – 3. à Sarah – 4. lui – 5. moi – 6. Pour Anaïs – 7. te – 8. à la Belle au bois dormant – 9. à faire leurs exercices – 10. d'attacher vos ceintures.

❺ 1. aux objets anciens (C.O.I.) – 2. des marrons (C.O.D.) – 3. des consignes de sécurité (C.O.I.) – 4. des intempéries (C.O.I.) –

5. des histoires des autres (C.O.I.) – 6. des enfants (C.O.I.) – 7. du saucisson (C.O.D.) – 8. du cinéma (C.O.D.) – 9. en (C.O.I.) – 10. du titre (C.O.I.).

6 1. Il leur a interdit de sortir. – 2. Demande-lui plutôt l'autorisation ! – 3. Elle chantera cette nouvelle chanson pour eux. – 4. Tu devrais lui rendre le livre.
→ **Remarque :** Disparition parfois de la préposition.

15 Le sujet et l'attribut du sujet p.22

1 1. Alexandre est resté (un grand enfant). – 2. J'aime les cerises. – 3. Comme tu cours vite ! – 4. C'est (ce que je préfère). – 5. L'essentiel est (que vous partiez à l'heure). – 6. Souffler n'est pas (jouer). – 7. À force de travailler, elle est devenue (excellente élève). – 8. Émilie restera à la maison. – 9. Elle est restée (calme) ! – 10. Hier sont venus mes cousins. – 11. Il passera par Lyon. – 12. Ce sont (eux) ! – 13. Tu sembles (fatiguée).

2 1. les chats – 2. une espionne – 3. une pomme – 4. intelligents – 5. immobiles – 6. prétentieuses – 7. studieuses.

3 1. Il est trop gourmand ; il finit toujours les plats. – 2. Tu es étourdi ; tu as mis une chaussette rouge et une verte. – 3. Elle est coléreuse ; elle tape du pied quand on la mécontente.

16 Les compléments circonstanciels de lieu et de temps p.23

1 1. ~~En début de soirée~~, Valentine s'est endormie ~~sur le canapé~~. – 2. ~~Hier~~, je suis partie ~~très tôt pour éviter les embouteillages~~. – 3. ~~Pendant le spectacle~~, Bérénice et Antonio n'ont pas arrêté de parler. – 4. Nous ne partirons pas ~~aujourd'hui pour Marseille~~. – 5. ~~Le mois dernier~~, il a fait très chaud ~~à Athènes~~. – 6. Nous rejoindrez-vous ~~à la plage cet après-midi~~ ?

2 1. Devant la mairie, les futurs mariés attendent le maire depuis une heure. Ils auront du retard : ils arriveront à l'église après tout le monde ! – 2. La tempête a détruit les cabanes sur la plage ; on espère une accalmie dans vingt-quatre heures. – 3. La semaine dernière, nous avons vu un film passionnant au cinéma. Dans la salle, on n'entendait pas un bruit.

3 1. Où Thésée entrera-t-il ? – 2. Quand a-t-on imaginé les aventures des héros grecs ? – 3. Où le Minotaure était-il enfermé ?

17 Les compléments circonstanciels de manière et de moyen p.24

1 1. C.C. de moyen – 2. C.C. de manière – 3. C.C. de manière/C.C. de moyen – 4. C.C. de manière/C.C. de manière – 5. C.C. de moyen – 6. C.C. de manière.

2 1. Durant toute la semaine, il a plu à seaux !
2. Le dentiste lui a parlé avec beaucoup de douceur.
3. Que lui avez-vous fait ? Il est parti en pleurant !
4. Zoé s'exprime encore avec beaucoup de difficultés.
5. Leïla réussit sans effort. – 6. Tu peux faire cet exercice de plusieurs façons. – 7. Ne marche pas pieds nus ou tu vas t'enrhumer rapidement !

3 1. J'ai acheté un nouveau téléphone avec mes économies. – 2. Agathe nous rejoindra à vélo. – 3. J'ai attaché les vélos sur la voiture à l'aide de cordes. – 4. Elles ont construit une cabane avec des branches.

CONJUGAISON

18 L'infinitif p.25

1 1. fait : faire – 2. a ramené : ramener – 3. crois/plonge/saura : croire/plonger/savoir.

2

Verbes en *-er*	skier ; jouer ; attraper ; accrocher ; quitter
Verbes en *-ir/-issant*	réfléchir ; fournir ; finir ; rougir ; avertir ; réussir
Autres verbes	sortir ; comprendre ; s'endormir ; savoir ; intervenir ; peindre ; pouvoir ; lire ; mordre

3 1. aller – 2. devenir – 3. fournir – 4. pourrir.

4 1. Rugir : je rugis ; nous rugissons ; 2e groupe. – 2. Venir : je viens ; nous venons ; 3e groupe. – 3. Finir : je finis ; nous finissons ; 2e groupe. – 4. Tenir : je tiens ; nous tenons ; 3e groupe.

19 Être et avoir : indicatif présent et futur p.26

1 1. êtes ; avez – 2. sera ; aura ou est ; a – 3. aurons ; serez – 4. sont ; ont ; a.

2 1. Ils ont du mal à être sérieux. – 2. Nous sommes en train de téléphoner. – 3. Vous êtes malades et vous n'avez pas de manteau ! – 4. Nous sommes seuls ; vous n'êtes pas là. – 5. Quand serez-vous là ? – 6. Elles ont des caniches, elles sont folles d'eux ! – 7. Leurs pères sont ministres, ils rencontrent beaucoup de monde. – 8. Ses filles sont admises à l'école de cirque ; elles ont de la chance ! – 9. Vous êtes muettes ; n'avez-vous rien à me dire ?

3 1. suis/serai – 2. ai/aurai – 3. a/aura ; sont/seront – 4. est/sera – 5. a/aura.

20 L'indicatif présent : verbes en *-er* et en *-ir/-issant* p.27

1 1. Je nargue ; nous narguons. – 2. Je commence ; nous commençons. – 3. Je prononce ; nous prononçons. – 4. Je nage ; nous nageons. – 5. Je prodigue ; nous prodiguons. – 6. Je mange ; nous mangeons. – 7. J'élague ; nous élaguons. – 8. Je largue ; nous larguons. – 9. Je déplace ; nous déplaçons. – 10. Je menace ; nous menaçons.

2 1. Tu rajeunis ; vous rajeunissez. – 2. Tu mincis ; vous mincissez. – 3. Tu salis ; vous salissez. – 4. Tu pâlis ; vous pâlissez. – 5. Tu blanchis ; vous blanchissez. – 6. Tu choisis ; vous choisissez.

3 N'aime pas ; ils le dérangent ; prennent ; l'obligent ; il possède ; il a ; il ronfle.

21 L'indicatif présent : autres verbes p.28

1 1. Je peins ; il peint. – 2. Je cueille ; il cueille. – 3. Je tords ; il tord. – 4. J'attends ; il attend. – 5. Je combats ; il combat. – 6. Je mens ; il ment. – 7. J'apparais ; il apparaît. – 8. J'apprends ; il apprend. – 9. J'ouvre ; il ouvre. – 10. Je réponds ; il répond.

2 1. Tu souffres ; vous souffrez. – 2. Tu meurs ; vous mourez. 3. Tu prends ; vous prenez. – 4. Tu mets ; vous mettez. – 5. Tu combats ; vous combattez. – 6. Tu vends ; vous vendez. – 7. Tu mords ; vous mordez. – 8. Tu connais ; vous connaissez. – 9. Tu cours ; vous courez. – 10. Tu bois ; vous buvez.

3 choisit ; veut ; s'assoit/s'assied ; sort ; prend ; connaît ; sent ; entreprend ; apparaissent ; pleut.

22 Les valeurs du présent p.29

1 1. Présent de vérité générale – 2. Présent de narration – 3. Présent de narration – 4. Présent de vérité générale.

À savoir
Le présent de vérité générale s'emploie dans les proverbes, les maximes, les théorèmes, les règles…

2 1. Présent de narration – 2. Présent d'actualité – 3. Présent de vérité générale – 4. Présent d'actualité – 5. Présent de vérité générale – 6. Présent d'actualité.

3 1. Il **pleut** : présent d'actualité – 2. Qui **est** à l'appareil ? : présent d'actualité – 3. Quel gâteau **voulez**-vous ? : présent d'actualité – 4. Archimède prenait un bain quand il **découvre** le principe de la poussée des corps dans l'eau : présent de narration.

23 L'indicatif futur p.30

1 1. partiras ; dirai – 2. commencerons ; sortirez – 3. enverra – 4. verrai ; fera – 5. remerciera – 6. courra ; mourra.

2 Jacques montera dans sa chambre, ouvrira la porte de son placard et prendra une serviette de toilette. Il se rendra dans sa salle de bains et se rasera. Il se regardera attentivement et se recoiffera. Le téléphone sonnera ; il courra pour répondre. Ce sera sa sœur ; elle dira qu'elle ne viendra pas au concert.

3 1. remercieras – 2. aboiera – 3. louera – 4. essuierai ; balaieras.

24 L'indicatif imparfait p.31

1 1. vous payiez – 2. vous grésilliez – 3. vous farcissiez – 4. vous brilliez – 5. vous cueilliez – 6. vous riiez – 7. vous veniez – 8. vous grogniez – 9. vous créiez – 10. vous appréciiez.

2 1. ils nageaient – 2. ils annonçaient – 3. ils finissaient – 4. ils plaçaient – 5. ils remarquaient – 6. ils calculaient – 7. ils distinguaient – 8. ils assiégeaient.

3 je buvais – nous courions – vous envoyiez – il envoyait – tu disais – vous connaissiez – je souriais – elle allait – elle voltigeait – vous grignotiez – ils verdissaient – elles travaillaient.

Attention
À l'imparfait, on écrit : vous étud**ii**ez, vous veill**iez**, vous unif**ii**ez, nous vadrouill**ions**.

25 L'indicatif passé simple p.32

1 1. tu peignis – 2. tu peignas – 3. tu partageas – 4. tu renonças – 5. tu salas – 6. tu salis – 7. tu lus – 8. tu lias.

2 finir – grandir – salir – pourrir – bondir.

3 vis – eus – courus – crus – accélérai – regarda – compris – ralentis – retournai.

26 L'alternance passé simple/imparfait p.33

1 Lorsque les hivers étaient (**imparfait**) longs les loups approchaient (**imparfait**) du village pour trouver de la nourriture ; les enfants tentaient (**imparfait**) de les apercevoir le soir, cachés derrière les vitres, pendant que les adultes surveillaient (**imparfait**). Cette nuit-là, trois loups apparurent (**passé simple**) non loin de l'école et s'engouffrèrent (**passé simple**) dans une ruelle obscure. Mon père sortit (**passé simple**) sans faire de bruit. Nous entendîmes (**passé simple**) un coup de feu suivi d'une agitation générale. Au petit matin nous apprîmes (**passé simple**) qu'un loup gisait (**imparfait**) sur le seuil de l'école. Mon père était (**imparfait**) un héros.

2 1. Action d'arrière-plan – 2. Action de premier plan – 3. Action d'arrière-plan – 4. Action de premier plan – 5. Action d'arrière-plan.

3 1. Il **était** une fois un chanteur célèbre qui connaissait un grand succès. – 2. Un jour, une sorcière jalouse **décida** de lui nuire et **prépara** une potion destinée à transformer sa voix en croassement. – 3. Le chanteur **but** la potion et **commença** à croasser ! – 4. Le chanteur, désespéré, **partit** à la recherche de la sorcière. – 5. Il la **trouva** devant son miroir ; elle **chantait**, évidemment !

27 L'indicatif passé composé p.34

1 1. tu as dit – 2. tu as peint – 3. tu as cru – 4. tu as permis – 5. tu as craint – 6. tu as vu – 7. tu as pris – 8. tu as su – 9. tu as fait – 10. tu es descendu(e) – 11. tu as ouvert – 12. tu as fermé – 13. tu as admis – 14. tu as paru/tu es paru(e) – 15. tu as répondu – 16. tu as adapté.

2 1. ils sont allés – 2. ils ont regretté – 3. ils ont rigolé – 4. ils se sont amusés – 5. ils sont revenus – 6. ils ont dessiné – 7. ils ont parcouru – 8. ils sont sortis.
→ **Remarque :** Avec l'auxiliaire être, le participe passé s'accorde en genre et en nombre avec le sujet (ici masculin pluriel).

3 a voulu – a été – s'est coupé – a dû – a aperçu – a éclaté.

28 L'indicatif plus-que-parfait : les conjugaisons p.35

1 1. Il avait abandonné ; ils avaient abandonné. – 2. Il était devenu ; ils étaient devenus. – 3. Il avait accaparé ; ils avaient accaparé. – 4. Il avait admis ; ils avaient admis. – 5. Il avait adouci ; ils avaient adouci. 6. Il était arrivé ; ils étaient arrivés. – 7. Il avait perdu ; ils avaient perdu. – 8. Il avait tenu ; ils avaient tenu. – 9. Il avait tricoté ; ils avaient tricoté. – 10. Il avait vaincu ; ils avaient vaincu. – 11. Il était tombé ; ils étaient tombés. – 12. Il était né ; ils étaient nés. – 13. Il avait bénéficié ; ils avaient bénéficié. – 14. Il avait bu ; ils avaient bu. – 15. Il avait bondi ; ils avaient bondi. – 16. Il avait démoli ; ils avaient démoli. – 17. Il avait couvert ; ils avaient couvert.

2 1. Elle était partie. – 2. tu étais arrivé(e). – 3. elle avait aperçu. – 4. ils avaient pris. – 5. il avait plu.

Attention
Avec l'auxiliaire être, le participe passé s'accorde avec le sujet.

3 1. Le cycliste avait pris. – 2. il avait choisi ; il avait vu. – 3. il avait juré.

29 L'indicatif plus-que-parfait : les emplois p.36

1 1. C – 2. C – 3. A – 4. C – 5. C – 6. A – 7. A.

2 avait changé A – avait profité A – avait été C – avait repeint A – s'était mise A – avait été alerté A – n'avait jamais supporté A – avait perdu A – avait transportée A – avait bien attrapés A.

Remarque
« transportée » s'accorde avec « bassine » / « attrapés » avec « nous ».

3 1. Si tu t'étais levé plus tôt. 2. Si elle n'avait pas mangé ces champignons. 3. Si nous avions gagné au Loto. 4. Si l'on ne m'avait pas volé mes chaussures.

30 Le conditionnel présent p.37

1 je nagerais – nous dormirions – vous iriez – il pleuvrait – vous passeriez – nous applaudirions – il demanderait – elles cuisineraient – nous écririons.

2 1. je ferais – 2. je pourrais – 3. je viendrais – 4. je saurais – 5. je verrais – 6. j'irais – 7. je vaudrais.

3 1. Nous étions sûrs que tu viendrais. – 2. Il disait qu'il ferait chaud. – 3. Elle pensait que tu aurais besoin d'aide. – 4. J'espérais qu'il y aurait de la glace au dessert. – 5. Vous demandiez pourquoi nous partirions si tôt. – 6. Croyais-tu qu'il neigerait bientôt ? – 7. Ils prétendaient qu'ils s'achèteraient un yacht. – 8. Nous expliquions qu'ils tomberaient dans ce piège. – 9. J'affirmais haut et fort que tu te tromperais. – 10. Clémence assurait ses sœurs qu'elle ne les oublierait pas.

31 L'impératif présent p.38

1 1. appelle – 2. va – 3. finissez – 4. plaisons – 5. appelez – 6. faites – 7. cueille – 8. offre – 9. croyons – 10. ris – 11. interromps – 12. sachons – 13. dites – 14. veuillez – 15. ayez – 16. sachez.

2 1. achète/achetons/achetez – 2. ensorcelle/ensorcelons/ensorcelez – 3. renouvelle/renouvelons/renouvelez – 4. crie/crions/criez – 5. crains/craignons/craignez – 6. prends/prenons/prenez – 7. crée/créons/créez – 8. cours/courons/courez.

3 1. N'y va pas. – 2. Ne cueille plus de mûres. – 3. Ne ramène pas de coquillages.

VOCABULAIRE

32 Les niveaux de langue p.39

1 1. niveau familier – 2. niveau courant.

2 1. C – 2. F – 3. C – 4. S – 5. F – 6. S – 7. F – 8. C – 9. F – 10. C.

3 1. Tu es vraiment stupide. – 2. Elle se moque de moi. – 3. Prends l'argent et disparais. – 4. J'adore cette chanson. – 5. On m'a volé ma voiture. – 6. Je me sens en forme ce matin. – 7. On ne peut pas parler et travailler en même temps. – 8. Il n'a pas intérêt à nous mentir. – 9. Je ne comprends rien à ce que tu racontes.

33 La formation des mots p.40

1 1. poisson – 2. fleur – 3. gris – 4. alcool – 5. lent – 6. mont – 7. cent – 8. lourd – 9. laid – 10. patin – 11. mythe – 12. argent – 13. mont – 14. maison – 15. carte – 16. fin – 17. droit. – 18. haut.

2 1. garçonnet – 2. fillette – 3. chevreau – 4. lapereau – 5. fourchette – 6. chaton – 7. îlot – 8. bestiole – 9. chevillette.

Remarque
Besti est une forme du radical plus proche du latin *bestia*, *bestiae* (la bête).

3 1. arrivée des Martiens – 2. vaccination de tous les enfants – 3. ramassage des livres scolaires ce matin – 4. paiement du voyage à l'agence – 5. ouverture du nouveau supermarché mardi – 6. décollage de la fusée cette nuit – 7. départ du train avec cinq minutes de retard – 8. lecture de poésies à la bibliothèque – 9. cueillette du raisin en septembre – 10. location des villas à la semaine.

4 1. réabonner – 2. réactiver – 3. réaffirmer – 4. réaménager – 5. réarmer – 6. reboutonner – 7. recentrer – 8. recoiffer – 9. récrire ou réécrire.

5 1. érable – 2. bizarre – 3. caresse – 4. firmament.

Remarque
« Bizarre » vient du vieux français *bigearre* qui signifie « extravagance, singularité ».

6 1. fuyard – 2. blondasses – 3. jaunâtres – 4. populace – 5. blanchâtre.

7 1. volcanique, volcanisme, volcanologie, volcanologue
→ Mon oncle étudie les éruptions volcaniques.
2. pigeonne, pigeonner, pigeonnant, pigeonnier
→ C'est dans un pigeonnier que l'on élève les pigeons.
3. assiéger, assiégé → Le château a été assiégé de longs mois.

34 Quelques mots issus du grec p.42

1 étranger.

2 1. pharmacie – 2. théorie – 3. mythe – 4. thérapie – 5. ange – 6. barbare – 7. cycle.

3 1. rhizome – 2. filiale – 3. terme – 4. politique – 5. gymnaste.

Remarque
« Gymnase » vient du grec « gymnos » qui signifie « nu » : les athlètes s'entraînaient nus !

35 Quelques mots issus du latin p.43

1 1. retourner – 2. transpercer – 3. déclamer – 4. obstacle – 5. décourager – 6. perméable – 7. correspondre – 8. impitoyable – 9. incroyable.

2 1. soleil – 2. carnet – 3. acide – 4. sommier.

3 1. d – 2. a – 3. c – 4. b.

36 Synonymes/Antonymes/Homonymes/Paronymes p.44

1 1. gras ; obèse ; gros – 2. riche ; abondant ; fertile – 3. voleur ; malfaiteur ; cambrioleur – 4. penser ; imaginer ; songer – 5. fin ; svelte ; mince.

2 1. maigre/mince – 2. lâche – 3. haïr – 4. bête – 5. lent – 6. injuste – 7. majorité – 8. accepter/admettre – 9. détruire – 10. simple – 11. familier – 12. dedans.

3 1. teint – 2. faim ; pain – 3. porc ; dattes – 4. cœur – 5. résonner – 6. ancre ; seau – 7. mère ; chat – 8. verres.

4 1. f – 2. d – 3. e – 4. a – 5. b – 6. c.

5 1. percepteur – 2. conjoncture – 3. taies.

37 Sens propre/Sens figuré p.45

1 1. Sens propre – 2. Sens figuré.

2 1. c – 2. e – 3. a – 4. b – 5. d.

3 1. kilogramme – 3. endive – 5. ordinateur – 7. steak – 13. prédateur – 15. fauteuil.

4 1. Nino rêve. – 2. J'ai arrêté ce métier, j'étais épuisé. – 3. À cause de cette grippe, Thomas n'a pas pu quitter son lit. – 4. Si tu veux avoir ton examen, il va falloir redoubler d'efforts ! – 5. En rentrant en classe, nous nous sommes fait gronder. – 6. J'en ai assez que l'on dise du mal de moi.

38 Éviter les répétitions p.46

1 Lors de cette rencontre de tennis, le premier joueur était expérimenté et motivé ; **le second** était jeune et fougueux. Quand les journalistes **l'**ont vu, ils ont déclaré : « Voilà un **concurrent** qui ne passera pas le premier tour ! » Mais pendant la rencontre, le premier **tennisman** fut dépassé par le second au jeu rapide et puissant.

2 Robert monta dans la barque le premier ; Lucas, armé d'une canne à pêche en bambou, **le** suivit. Robert se moqua de **son** attirail. **Ils** ramèrent jusqu'au milieu de l'étang. Robert possédait une canne télescopique en fibre de carbone **qui** valait une fortune. [...] Lucas remonta une superbe truite **que** Robert admira [...]. Robert ne prit qu'un petit gardon **qui** fit bien rire Lucas. **Les deux amis** passèrent la journée à plaisanter [...]. À la tombée de la nuit, **ils** rentrèrent préparer [...].

3 1. le septième art – 2. le Toit du monde – 3. la langue de Molière – 4. la bête à bon Dieu – 5. le billet vert – 6. le Vieux Continent – 7. le plancher des vaches.

4 1. chien – 2. vêtement – 3. bâtiment – 4. danse – 5. épice.

5 1. hospitalité – 2. avenante – 3. ponctualité – 4. adorable – 5. satisfaction – 6. redoutable.

6 1. Ma voiture est en panne, pouvons-nous prendre **la tienne** ? – 2. J'hésite entre ces chaussures-ci et **celles-là**. – 3. Je ne trouve plus mes clés : **les** vois-tu ? – 4. Placez votre valise sur **la mienne**. – 5. Nous allons souvent dans ce parc d'attractions, **il** a une renommée internationale.

ORTHOGRAPHE

39 A/À p.48

1 1. a – 2. a ; à – 3. à – 4. a ; à – 5. à – 6. a ; à ; à – 7. a ; à – 8. a – 9. a ; à ; a – 10. a – 11. a ; à – 12. à ; à – 13. à.

2 1. as – 2. a – 3. as – 4. a – 5. As – 6. a – 7. a – 8. a ; a – 9. A – 10. as.

3 1. as ; à – 2. a ; à – 3. as ; as ; à – 4. as ; à – 5. a ; à ; à – 6. À – 7. à ; à – 8. à ; as – 9. à.

40 Ou/Où p.49

1 1. du chocolat (ou) du café – 2. Dis oui (ou) non – 6. à prendre (ou) à laisser ! – 7. Je pense que Basile est parti jouer au football (ou) qu'il se cache... – 10. une fille (ou) un garçon ?

2 1. où – 2. où – 3. ou – 4. ou – 5. où – 6. ou – 7. Où – 8. où – 9. où – 10. où – 11. ou – 12. où ; ou – 13. ou ; Où.

3 1. ou – 2. ou – 3. Où – 4. ou – 5. ou – 6. ou – 7. ou – 8. ou.

41 Et/Est p.50

1 Dans la Grèce antique, il y **avait** une légende qui **évoquait** Arachné et son incroyable destin. **C'était** une jeune fille très habile et experte dans l'art du tissage. Elle **était** très fière de ses dons et même un peu prétentieuse. Quand elle **entendait** dire qu'elle **était** la meilleure tisseuse au monde, Héra **était** vexée et **décidait** de la mettre à l'épreuve. Une compétition **était** ainsi lancée... Arachné **réalisait** une tapisserie qui **était** magnifique et **représentait** les amours des dieux. Héra **était** très en colère et **métamorphosait** Arachné en araignée.

2 1. Il **est** déjà tard **et** nous n'avons pas terminé nos devoirs ! – 2. Léo **est** parti jouer au football **et** il a oublié son maillot. – 3. Elle **est** malade **et** elle ne prend pas de médicaments. – 4. La plage **est** couverte d'algues **et** de coquillages. – 5. Elle **est** à Paris **et** elle ne rentre que demain. – 6. Il fait chaud **et** humide dans les pays tropicaux. – 7. **Et** si l'on faisait une partie d'échecs ? – 8. Il **est** responsable **et** coupable. – 9. Achète une baguette **et** des croissants, il **est** déjà dix heures !

3 1. Le train part à neuf heures **et** arrive à onze heures ; il **est** prudent de réserver sa place. – 2. Où **est**-elle ? Son manteau **et** son sac sont pourtant là ! – 3. Il **est** en retard **et** ne nous prévient même pas ; c'**est** inadmissible ! – 4. Ce scooter **est** très cher **et** il n'**est** pas fiable ! – 5. Installons-nous ici **et** commandons le plat du jour : la cuisine **est** excellente. – 6. Ce livre **est** intéressant **et** il se lit facilement. – 7. Il **est** très rare de rencontrer des élèves qui réclament davantage de devoirs.

4 1. Mon perroquet **est** un animal de compagnie tout à fait charmant. – 2. Il **est** capable de parler **et** appelle mes amis par leur prénom. – 3. Il **est** aussi réputé pour ses histoires drôles **et** ses devinettes. – 4. De plus – **et** cela ne gâche rien ! –, il **est** magnifique ! – 5. Son plumage **est** multicolore, il a des plumes vertes, des bleues **et** des jaunes. – 6. Il s'**est** mis en tête de chanter des airs d'opéra. – 7. Le problème, c'**est** qu'il **est** enroué !

42 On/Ont – Son/Sont p.51

1 1. Célia adore **son** poney. – 2. Karina a arrosé Paul et a mouillé **son** pull ! – 3. Les chevaux **sont** dans la pâture. – 4. Où **sont**-ils ? Je ne les vois plus ! – 5. La sorcière s'est envolée sur **son** balai. – 6. La mère Michel a perdu **son** chat ! – 7. Fatou a acheté **son** cartable dans cette boutique. – 8. Vous ne les verrez pas, ils **sont** déjà partis ! – 9. Les invités **sont** déjà là et rien n'est prêt ! – 10. J'ai reçu hier **son** bouquet : les roses **sont** déjà fanées !

2 1. **On** est prié de ne pas fumer ! – 2. Le cambrioleur ne pensait pas qu'**on** le retrouverait. – 3. Ils **ont** tout mangé et ne m'**ont** rien laissé ! – 4. Elles **ont** eu très peur quand **on** les a menacées de les punir. – 5. Lorsqu'**on** leur a proposé un dessert, ils **ont** refusé. – 6. **On** a volé les bijoux de ma tante, hélas les policiers nous **ont** dit qu'**on** ne les retrouverait jamais. – 7. **On** a tous rêvé un jour d'être une star. – 8. **On** a coupé l'électricité ! **On** ne voit plus rien ! 9. **On** est de mauvaise humeur quand il pleut.

3 1. Ce **sont** des gâteaux qu'**on** prépare deux semaines à l'avance. – 2. Les chiens **ont** un excellent odorat, certains **sont** même entraînés à chercher des truffes. – 3. **On** a retrouvé les affaires de Lilou sur la plage : sa serviette, ses palmes et **son** tuba. – 4. Quand **son** discours est long, **on** s'endort ! – 5. **On** avait invité Margot mais les gendarmes l'**ont** arrêtée sur la route et **ont** confisqué **son** permis.

4 1. Est-il coupable ? **On n'**en sait rien ! – 2. **On n'**est jamais sûr de rien. – 3. Pourrait-**on** s'arrêter ? **On n'**en peut plus. – 4. **On** est tous contents ! – 5. **On n'**est pas ravis d'être là mais **on n'**avait pas le choix ! – 6. **On** a eu de la chance.

43 S/Ss p.52

1 déshériter – causer – oser – déshabiller – bison.

2 1. rosse – 2. roses – 3. sensationnelle – 4. raison – 5. seigle – 6. hésitation ; saucisson ; saucisses – 7. lessive ; adoucissant – 8. résister – 9. résolu – 10. saison ; rossignols – 11. résine ; – 12. croissants ; chaussons – 13. sable.

3 1. poisson – 2. poison – 3. désert – 4. desserts – 5. coussins – 6. cousin – 7. casse – 8. Case.

4 1. sélectionner – 2. intéresser – 3. saler.

44 C/Cu/Ç p.53

1 1. escargot – 2. écueil – 3. saucisson – 4. cellulite – 5. catastrophe – 6. écouter.

2 1. décaper – 2. colimaçon – 3. calme – 4. civique – 5. cor – 6. corps – 7. cadence – 8. hameçon – 9. cueillette – 10. écu – 11. accueil – 12. faïence – 13. pinceau – 14. sucette – 15. coquin – 16. ceci – 17. récitation – 18. maçon – 19. recueil – 20. policier – 21. recueillement – 22. reçu – 23. scène.

3 1. calcaire – 2. récitation – 3. exception – 4. décompter.

4 Ce – encore – capricieuse – confiai – façon – mécontentement – arçon – catastrophe – déçu – consoler – forces – saucisse – c' – cassoulet – cervelas – croûte – avocats – crabe – bloc – morceaux – cure – décision – coquille – haricots – compenserait – excès.

45 G/Ge/Gu p.54

1 1. archéolo**gu**e ; archéologie – 2. **gu**irlandes – 3. **g**are – 4. navi**g**ateurs ; navigation – 5. navi**gu**ant ; étran**g**ères – 6. **g**âteau ; mélan**g**er ; mélan**ge**ait ; **g**rumeaux – 7. bou**ge**ais – 8. **g**oélands.

2 Comme Georges avait des ganglions et se sentait fatigué, il alla voir le médecin qui lui dit : « Au lieu de jouer de la guitare, vous auriez dû venir me voir plus tôt. Mais vous êtes insouciant comme la cigale de la fable ! » Ensuite, il lui prodigua des conseils pour guérir plus vite : manger des gâteaux à la goyave, des graines de tournesol et de gigantesques tranches de gigot. « En narguant les microbes, poursuivit-il, vous négligiez de les combattre et vous leur avez ménagé un terrain propice. » À la fin du dialogue, il l'obligea à prendre des antibiotiques avec des figues pour que cela ait meilleur goût.

46 Ce/Se/Ceux p.55

1 Je me lève ce matin très tôt. Ce que je me prépare, c'est un excellent petit déjeuner. Je me suis acheté des œufs, du bacon et ce pain qui se vend à la boulangerie du centre. Je dois me dépêcher pour ne pas rater ce rendez-vous.

2 1. se – 2. Ce ; s' – 3. se ; ce – 4. se ; se – 5. Ce ; se ; se – 6. ce ; se – 7. se ; ce.

3 1. se ; ceux qui – 2. Ce qui ; ce – 3. se ; se – 4. Ce – 5. Ceux qui ; ce.

47 Notre/Le nôtre – Votre/Le vôtre p.56

1 1. notre : déterminant possessif (sans accent) ; la vôtre : pronom possessif (avec accent) – 2. Votre : déterminant possessif (sans accent) ; le nôtre : pronom possessif (avec accent).

2 1. la vôtre – 2. la nôtre – 3. le nôtre – 4. votre – 5. votre (ou notre) – 6. notre – 7. la vôtre.

3 1. les vôtres – 2. le vôtre – 3. les nôtres – 4. votre – 5. le nôtre – 6. Les nôtres.

4 1. votre – 2. les vôtres – 3. votre – 4. votre – 5. votre.

48 Leur/Leurs p.57

1 1. il n'y a pas d'accord au féminin. – 2. du pluriel – 3. il n'y pas d'accord.

2 1. Je **lui** ai dit de prendre **ses** skis. – 2. Ils **lui** promettent d'entretenir **ses** champs. – 3. Le maître **lui** a confisqué **ses** billes. – 4. Je **lui** donnerais des claques !

3 1. Leur – 2. leur – 3. leurs ; leur ; leurs – 4. leur ; leur – 5. Leur ; leurs – 6. leurs ; leur – 7. leurs – 8. leur ; leur – 9. Leur ; leur – 10. leur – 11. leur – 12. Leur ; leurs ; leur ; leur.

49 Mais/Mes p.58

1 1. Rendez-moi les livres ! – 2. L'eau est froide, pourtant je vais me baigner. – 3. Je n'ai pas les cahiers, pourtant j'ai fait les exercices.

2 1. Hier, j'ai pris **mes** cannes à pêche et je suis allé au bord du lac. – 2. La météo prévoyait du beau temps, **mais** il a plu toute la matinée. – 3. **Mes** affaires étaient toutes mouillées **mais** j'ai passé un bon moment car **mes** amis m'accompagnaient. – 4. J'ai prêté **mes** cuissardes à Paul qui s'est avancé dans l'eau pour séparer **mes** lignes qui s'étaient emmêlées. – 5. Il marchait doucement **mais** il a glissé sur la vase et il est tombé dans l'eau. 6. Surpris, j'ai laissé tomber tous **mes** asticots.

3 1. Je vais vous livrer une de **mes** astuces pour que **mes** journées soient paisibles au collège. – 2. C'est une de **mes** amies sorcières qui m'a confié ce secret, **mais** ne le répétez à personne ! – 3. Quand **mes** devoirs ne sont pas faits, ni **mes** leçons apprises, j'envoûte **mes** professeurs ainsi : « Par Belzébuth, je n'ai pas fait **mes** devoirs **mais** ce soir, la lune brillera, je ne sais pas **mes** leçons **mais** ce soir le crapaud chantera. » – 4. Et alors, c'est la fin de **mes** ennuis. 5. **Mais** je dois retenir par cœur cette formule !

50 La/L'a/L'as/Là p.59

1 1. Pronom personnel élidé avec l'auxiliaire avoir – 2. Adverbe – 3. Article défini – 4. Pronom personnel, pronom personnel – 5. Adverbe – 6. Pronom personnel élidé avec l'auxiliaire avoir – 7. Pronom personnel – 8. Adverbe – 9. Pronom personnel élidé avec l'auxiliaire avoir.

2 À **la** nuit tombée, **la** sorcière a préparé son balai ; elle **l'a** frotté avec une poudre magique et **l'a** placé sur son balcon ! **Là**, elle a mis des lunettes de motard et des gants, puis elle a prononcé ces paroles : « Ô balai magique de **la** nuit, tu ne vas pas rester **là** ! Sur **la** ville tu vas voler et **la** sorcière tu vas emporter. » Et **là**, elle **l'a** enfourché, puis elle a disparu dans un nuage de poudre étincelante.

3 1. Vous partez à **la** plage ou vous restez **là** ? – 2. **La** montre que je porte, il **la** voudrait bien ! – 3. À ce moment-**là**, l'avion a commencé à raser **la** cime des arbres. – 4. Vous ne pouvez pas reprendre **la** route dans cet état-**là**, **la** fatigue risque de vous jouer un mauvais tour ! – 5. **La** console que tu vois **là**, tu **la** commandes pour Noël ? – 6. Oh, **la** belle robe ! Je suis sûr que tu **la** veux ! – 7. **La** jeune Élise est **la** plus grande archéologue du monde ! – 8. Je **la** crois capable de réussir. – 9. Traverser **la** rue à cet instant-**là** serait inconscient.

4 1. J'ai **la** dernière version du jeu « Vampires » et l'auteur me **l'a** dédicacée. – 2. Tu veux que je **la** prévienne de ton arrivée ? Non, laisse-**la** dormir et assieds-toi **là** près de moi !

51 L'accord du participe passé p.60

1 sortie : auxiliaire être, on accorde avec le sujet « Emma » – fermé : auxiliaire avoir, C.O.D. placé derrière le P.P. (« la porte de la cage »), on n'accorde pas – partis : auxiliaire être, on accorde avec le sujet « les lapins » – restés : auxiliaire être, on accorde avec le sujet « Les deux plus gros » – rongé : auxiliaire avoir, C.O.D. placé derrière (« les carottes »), on n'accorde pas – posées : épithète, on accorde avec « carottes » – oublié : auxiliaire avoir, C.O.D. placé derrière (« cette histoire »), on n'accorde pas – connue : épithète, on accorde avec « histoire ».

2 les canards sauvages sont revenus – les chasseurs sont allés – ils sont repartis – les volatiles effrayés par le bruit des fusils sont retournés – Elle a beaucoup ri – on est venus.

À retenir
« On » peut désigner plusieurs personnes, en particulier quand il est mis pour « nous » : le participe passé s'accorde alors au pluriel.

3 Quand Minos, roi de Crète, a **envoyé** Thésée et ses compagnons dans le labyrinthe pour qu'ils soient **dévorés** par le Minotaure, la princesse Ariane a **eu** très peur. Il faut dire que quand elle a **rencontré** Thésée, elle a été **surprise** par sa force et son courage. C'est comme cela qu'il a **charmé** Ariane. C'est elle qui l'a **aidé** à sortir du dédale. Il a d'abord **tué** le monstre et a **guidé** ensuite ses compagnons vers la sortie grâce à un fil que lui avait **donné** Ariane.

4 trouvé – vu – promis – oublié – espéré – partis – navigué – passé – dormi – senti – réveillés.

5 1. Elles – 2. Ils – 3. Nous ; nous – 4. Elles – 5. Elle – 6. Elle (la voiture, etc.) – 7. Ils/Elles ; elle – 8. elles – 9. Tu ; elle – 10. ils ; nous.

6 fait – coûté – prise – partie – fait – accompagné – allée – vu – décorés – apprécié – demandé – fait.

7 1. c – 2. a – 3. d – 4. b.

52 Les accords sujet/verbe p.62

1 1. Voilà l'histoire qu'il me raconte. – 2. Quel grand service tu me rends ! – 3. Où court-elle ? – 4. Paris et New York sont les plus belles villes du monde. – 5. Tes cousins et moi sommes allés à la piscine. – 6. Qu'ont choisi Julie, Sophie et Amélie ? – 7. Je vous présente Juliette et Adrien qui vous hébergeront. – 8. Ce n'est pas moi qui ai cassé le vase.

2 1. sont – 2. décident – 3. décide-t – 4. suis ; dois – 5. êtes – 6. arrivent – 7. puis ; sembles.

3 1. savons – 2. rient – 3. fait ; plaît – 4. décidons – 5. savent – 6. choisissent – 7. partons – 8. fait ; pouvez – 9. préférons.

26 L'alternance passé simple/imparfait

→ Corrigés p.IV

J'observe et je retiens

Exemples : 1. *La princesse dormait quand le prince entra.*

- dormait : action présentée dans son déroulement, arrière-plan
- entra : action qui fait progresser le récit, premier plan

2. *Il ne tombait jamais amoureux, mais cette fois, il succomba à la beauté de la princesse, qui avait de longs cheveux.*

- tombait : répétition
- succomba : action ponctuelle
- avait : description

- Le **passé simple** présente les actions comme achevées et limitées dans le temps ; il insiste sur l'action, qu'il met en valeur. Il concerne les actions qui font progresser le récit : on les appelle **actions de premier plan**.
- L'**imparfait** présente les actions en train de se dérouler au moment du récit. Il est aussi utilisé dans les descriptions. Enfin, il peut exprimer un fait habituel, une répétition. Ces actions ne font pas progresser le récit : on les appelle **actions secondaires ou d'arrière-plan**.

J'applique

1 ★ **Souligne dans le texte les verbes conjugués et donne leur temps.**

Lorsque les hivers étaient longs les loups approchaient du village pour trouver de la nourriture ; les enfants tentaient de les apercevoir le soir, cachés derrière les vitres, pendant que les adultes surveillaient. Cette nuit-là, trois loups apparurent non loin de l'école et s'engouffrèrent dans une ruelle obscure. Mon père sortit sans faire de bruit. Nous entendîmes un coup de feu suivi d'une agitation générale. Au petit matin nous apprîmes qu'un loup gisait sur le seuil de l'école. Mon père était un héros.

....

....

....

....

Je m'entraîne

2 ★★ **Indique pour chaque phrase s'il s'agit d'une action de premier plan ou d'arrière-plan.**

1. Tous les ans, ils migraient vers l'Afrique. .... – **2.** Cette année-là, ils restèrent en Europe. ....– **3.** Le match était ennuyeux. .... – **4.** Lorsque Maxime marqua le premier but. .... – **5.** Il était une fois un ogre méchant. ....

3 ★★★ **Conjugue les verbes de ces phrases à l'imparfait ou au passé simple.**

1. Il (être) .... une fois un chanteur célèbre qui (connaître) .... un grand succès.

2. Un jour, une sorcière jalouse (décider) .... de lui nuire et (préparer) .... une potion destinée à transformer sa voix en croassement.

3. Le chanteur (boire) .... la potion et (commencer) .... à croasser !

4. Le chanteur, désespéré, (partir) .... à la recherche de la sorcière.

5. Il la (trouver) .... devant son miroir ; elle (chanter) ...., évidemment !

Auto évaluation — Très bien ☐ Bien ☐ Pas assez bien ☐

27 L'indicatif passé composé

→ Corrigés p.IV

J'observe et je retiens

Pour conjuguer un verbe à l'**indicatif passé composé**, on ajoute, à l'auxiliaire **être** ou **avoir** conjugué au **présent** de l'indicatif, le **participe passé** de ce verbe.

			avec l'auxiliaire *avoir*		avec l'auxiliaire *être*
avoir	**être**	**aller**	**chanter**	**grossir**	**partir**
j'ai eu tu as eu il/elle a eu nous avons eu vous avez eu ils/elles ont eu	j'ai été tu as été il/elle a été nous avons été vous avez été ils/elles ont été	je suis allé(e) tu es allé(e) il/elle est allé(e) nous sommes allé(e)s vous êtes allé(e)s ils/elles sont allé(e)s	j'ai chanté tu as chanté il/elle a chanté nous avons chanté vous avez chanté ils/elles ont chanté	j'ai grossi tu as grossi il/elle a grossi nous avons grossi vous avez grossi ils/elles ont grossi	je suis parti(e) tu es parti(e) il/elle est parti(e) nous sommes parti(e)s vous êtes parti(e)s ils/elles sont parti(e)s

Le participé passé employé avec l'auxiliaire *être* s'accorde avec le sujet du verbe.

Attention
Les terminaisons des participes passés sont différentes selon les verbes.
Verbes en *-er* : *chanté.*
Verbes en *-ir/-issant* : *grossi.*
Autres verbes : *parti, bu, pris, offert.*

Astuce
Quand tu hésites sur une consonne finale, mets le participe au féminin : *offerte* → *offert.*

J'applique

1 ★ **Conjugue les verbes suivants à l'indicatif passé composé, 2e personne du singulier (tu).**

1. dire → ....
2. peindre → ....
3. croire → ....
4. permettre → ....
5. craindre → ....
6. voir → ....
7. prendre → ....
8. savoir → ....
9. faire → ....
10. descendre → ....
11. ouvrir → ....
12. fermer → ....
13. admettre → ....
14. paraître → ....
15. répondre → ....
16. adapter → ....

Je m'entraîne

2 ★★ **Conjugue les verbes suivants à l'indicatif passé composé, 3e personne du pluriel (ils). Que remarques-tu pour les verbes qui se conjuguent avec l'auxiliaire être ?**

1. aller → ....
2. regretter → ....
3. rigoler → ....
4. s'amuser → ....
5. revenir → ....
6. dessiner → ....
7. parcourir → ....
8. sortir → ....

→ **Remarque :** ....
....

3 ★★★ **Conjugue les verbes entre parenthèses à l'indicatif passé composé.**

Le prince charmant (vouloir) .... se raser avant d'aller retrouver la princesse. Il (être) .... maladroit et (se couper) .... Il (devoir) .... mettre un sparadrap sur son menton. Quand la princesse l'(apercevoir) ...., elle (éclater) .... de rire.

Auto évaluation Très bien ☐ Bien ☐ Pas assez bien ☐

28 L'indicatif plus-que-parfait : les conjugaisons

→ Corrigés p.IV

J'observe et je retiens

Pour conjuguer un verbe à l'indicatif plus-que-parfait, on ajoute, après l'auxiliaire **être** ou **avoir** conjugué à l'indicatif **imparfait**, le **participe passé** de ce verbe.

			avec l'auxiliaire *avoir*		avec l'auxiliaire *être*
avoir	**être**	**aller**	**chanter**	**grossir**	**partir**
j'avais eu	j'avais été	j'étais allé(e)	j'avais chanté	j'avais grossi	j'étais parti(e)
tu avais eu	tu avais été	tu étais allé(e)	tu avais chanté	tu avais grossi	tu étais parti(e)
il/elle avait eu	il/elle avait été	il/elle était allé(e)	il/elle avait chanté	il/elle avait grossi	il/elle était parti(e)
nous avions eu	nous avions été	nous étions allé(e)s	nous avions chanté	nous avions grossi	nous étions parti(e)s
vous aviez eu	vous aviez été	vous étiez allé(e)s	vous aviez chanté	vous aviez grossi	vous étiez parti(e)s
ils/elles avaient eu	ils/elles avaient été	ils/elles étaient (allé)es	ils/elles avaient chanté	ils/elles avaient grossi	ils/elles étaient parti(e)s

Le participé passé employé avec l'auxiliaire *être* s'accorde avec le sujet du verbe.

J'applique

1 * **Conjugue les verbes suivants à l'indicatif plus-que-parfait, 3e personnes du singulier et du pluriel (il et ils).**

1. abandonner → ....
2. devenir → ....
3. accaparer → ....
4. admettre → ....
5. adoucir → ....
6. arriver → ....
7. perdre → ....
8. tenir → ....
9. tricoter → ....
10. vaincre → ....
11. tomber → ....
12. naître → ....
13. bénéficier → ....
14. boire → ....
15. bondir → ....
16. démolir → ....
17. couvrir → ....

Je m'entraîne

2 ** **Conjugue les verbes entre parenthèses à l'indicatif plus-que-parfait.**

1. Quand nous sommes arrivés, elle (partir) .... – 2. Si tu (arriver) .... à l'heure, tu n'aurais pas raté ton train. – 3. Sophie cria soudain : elle (apercevoir) .... une araignée. – 4. S'ils (prendre) .... la voiture ce matin, ils auraient glissé sur le verglas. – 5. La terre était inondée car il (pleuvoir) .... plusieurs jours de suite.

3 ** **Conjugue les verbes entre parenthèses à l'indicatif plus-que-parfait.**

1. Le cycliste (prendre) .... le chemin de montagne le plus escarpé. – 2. Il (choisir) .... cette piste parce qu'il (voir) .... à la télévision une arrivée d'étape dans la neige. – 3. Il (jurer) .... d'en faire autant.

Auto évaluation Très bien ☐ Bien ☐ Pas assez bien ☐

29 L'indicatif plus-que-parfait : les emplois

→ Corrigés p.V

J'observe et je retiens

■ **Exemple :** *Son frère m'a raconté qu'il avait parcouru le monde entier. → Il l'a parcouru avant de me raconter.*

Le plus-que-parfait est utilisé pour un **fait antérieur** aux autres verbes.

■ **Exemple :** *Si vous m'aviez écouté, vous auriez réussi votre examen. → Cela ne s'est pas fait.*

Le plus-que-parfait peut également exprimer une **condition** qui ne s'est pas réalisée.

J'applique

1 ** **Précise pour chaque phrase si le plus-que-parfait est utilisé pour marquer une antériorité (A) ou exprimer une condition (C).**

1. Si Pâris n'avait pas enlevé Hélène, la guerre de Troie n'aurait pas eu lieu .... – 2. Si Ulysse n'avait pas bouché les oreilles de ses compagnons, les Sirènes l'aurait fait naufrager .... – 3. Ulysse avait déjà beaucoup voyagé quand il arriva sur l'île des Cyclopes .... – 4. Si Ulysse n'avait pas provoqué la colère de Poséidon, son périple aurait duré moins longtemps .... – 5. Si les dieux ne l'avaient pas ordonné, Calypso n'aurait jamais laissé repartir Ulysse .... – 6. Quand Ulysse comprit les intentions de Circé, elle avait déjà changé ses compagnons en pourceaux.......... – 7. Quand Nausicaa découvrit Ulysse sur l'île des Phéaciens, il avait fait naufrage ....

Je m'entraîne

2 *** **Conjugue les verbes entre parenthèses au plus-que-parfait et précise si ce temps est utilisé pour marquer une antériorité (A) ou exprimer une condition (C).**

Quand je suis rentré à la maison, mon père (changer) .... les meubles de place. Il (profiter) .... de l'absence de ma mère car si elle (être) .... là, jamais il n'aurait eu le droit de le faire ! Un jour qu'il (repeindre) .... les volets en bleu, elle s'(mettre) .... à hurler. Tout le quartier (être alerté) .... mais c'était fait ! Elle n'(ne jamais supporter) .... le changement. Quand elle rentra, ce fut une surprise ; elle fit semblant de ne rien voir ; nous eûmes l'impression qu'elle (perdre) .... ses repères : elle voulut nous faire manger dans la salle de bains et fit la vaisselle dans la salle à manger, dans une bassine qu'elle (transporter) .... Nous nous rappelâmes longtemps qu'elle nous (bien attraper) ....

3 *** **Complète les phrases suivantes en utilisant le plus-que-parfait.**

1. .... tu n'aurais pas raté ton bus !

2. .... elle n'aurait pas eu une indigestion.

3. .... nous aurions acheté un yacht.

4. .... je ne serais pas arrivé en chaussettes !

Auto évaluation Très bien ☐ Bien ☐ Pas assez bien ☐

30 Le conditionnel présent

→ Corrigés p.V

J'observe et je retiens

Exemple : *je chanterais, tu serais, il finirait, nous partirions, vous prendriez, ils auraient.*

Pour former le **conditionnel présent**, on ajoute, au **radical de l'indicatif futur**, les terminaisons de l'imparfait :
-ais, -ais, -ait, -ions, -iez, -aient.

Attention
Pour les verbes en -re, on retire le e final de l'infinitif.
Exemple : *mordre → il mordrait.*

J'applique

1 ★ Souligne les verbes au conditionnel présent.

je nagerais – je nagerai – il dormira –
nous dormirions – vous iriez – tu feras –
il pleuvrait – vous passeriez – nous applaudirions –
vous courrez – il demanderait – elles cuisineraient –
je prendrai – nous écririons – vous gagnerez –
elles subiront – je proposerai – nous dégusterons.

2 ★ Conjugue chaque verbe au conditionnel présent (pour t'aider, le futur est indiqué entre parenthèses).

Exemple : *aller : j'irai → j'irais*

1. faire (je ferai) → ....
2. pouvoir (je pourrai) → ....
3. venir (je viendrai) → ....
4. savoir (je saurai) → ....
5. voir (je verrai) → ....
6. aller (j'irai) → ....
7. valoir (je vaudrai) → ....

Aide
Les verbes irréguliers construisent le conditionnel présent sur le même radical que le futur.

Je m'entraîne

3 ★★ Récris ces phrases en mettant le premier des deux verbes à l'indicatif imparfait et le second au conditionnel présent.

1. Nous sommes sûrs que tu viendras.

....

2. Il dit qu'il fera chaud.

....

3. Elle pense que tu auras besoin d'aide.

....

4. J'espère qu'il y aura de la glace au dessert.

....

5. Vous demandez pourquoi nous partirons si tôt.

....

6. Crois-tu qu'il neigera bientôt ?

....

7. Ils prétendent qu'ils s'achèteront un yacht.

....

8. Nous expliquons qu'ils tomberont dans ce piège.

....

9. J'affirme haut et fort que tu te tromperas.

....

10. Avant de partir en vacances, Clémence assure ses sœurs qu'elle ne les oubliera pas.

....

Auto évaluation Très bien ☐ Bien ☐ Pas assez bien ☐

31 L'impératif présent

→ Corrigés p.V

J'observe et je retiens

À l'**impératif présent**, il n'y a pas de pronom personnel devant le verbe. Il y a **trois personnes** seulement.

				-er	*-ir/-issant*	Autres verbes	
	être	**avoir**	**aller**	**chanter**	**grossir**	**partir**	**faire**
2e pers. sing. **1re pers. plur.** **2e pers. plur.**	sois soyons soyez	aie ayons ayez	va allons allez	chante chantons chantez	grossis grossissons grossissez	pars partons partez	fais faisons faites

On emploie l'impératif pour un **ordre** ou une **interdiction**.

Attention
Quelques verbes (*cueillir, offrir, savoir, ouvrir, couvrir, souffrir, vouloir*) ont les terminaisons des verbes en *-er* (-e, -ons, -ez).

J'applique

1 ★★ **Voici des verbes conjugués à l'indicatif présent : donne, pour la même personne, la forme de l'impératif présent.**

1. tu appelles → ....
2. tu vas → ....
3. vous finissez → ....
4. nous plaisons → ....
5. vous appelez → ....
6. vous faites → ....
7. tu cueilles → ....
8. tu offres → ....
9. nous croyons → ....
10. tu ris → ....
11. tu interromps → ....
12. nous savons → ....
13. vous dites → ....
14. vous voulez → ....
15. vous avez → ....
16. vous savez → ....

2 ★★ **Conjugue aux trois personnes de l'impératif présent les verbes suivants.**

1. acheter → ....
2. ensorceler → ....
3. renouveler → ....
4. crier → ....
5. craindre → ....
6. prendre → ....
7. créer → ....
8. courir → ....

Je m'entraîne

3 ★★★ **Mets les verbes à la forme négative.**

1. Vas-y. ....
2. Cueille encore des mûres. ....
....
3. Ramène des coquillages. ....
....

Auto évaluation Très bien ☐ Bien ☐ Pas assez bien ☐

32 Les niveaux de langue

→ Corrigés p.V

J'observe et je retiens

On distingue trois niveaux de langue : **familier**, **courant** et **soutenu**.

■ **Exemple :** « *Je lui ai pas piqué sa téloche à la vieille !* »

Le niveau de langue **familier** est utilisé à l'oral : expressions imagées, onomatopées, suppressions fréquentes de la négation...

■ **Exemple :** « *Vous avez volé la télé de cette vieille dame. L'avez-vous menacée ?* »

Le niveau de langue **courant** est utilisé à l'oral et à l'écrit : vocabulaire ordinaire, concordance des temps respectée, phrases simples.

■ **Exemple :** « *Ce goujat sans vergogne fait preuve d'une moralité douteuse !* »

Le niveau de langue **soutenu** est utilisé à l'écrit : vocabulaire recherché, stricte concordance des temps, phrases complexes.

J'applique

1 ★ Donne le niveau de langue des mots soulignés.

1. Lucas, il a mis une baffe à Samir et Samir il pleurniche. ....

2. Lucas a donné une gifle à Samir et Samir pleure.

....

Je m'entraîne

2 ★★ Indique à quel niveau de langue appartiennent ces phrases : F pour familier ; C pour courant ; S pour soutenu.

1. Victor a acheté un caméléon. .... – 2. J'me suis pris la tête avec son truc ! .... – 3. Elle doit commencer quand ? .... – 4. Veuillez agréer mes salutations respectueuses. .... – 5. J'aime pas ce genre de bestiole. .... – 6. Votre impertinence nous conduisit au désastre ! .... – 7. Fastoche l'exo qu'elle nous donne, la prof. .... – 8. Comment s'appelle-t-il ? .... – 9. C'est quoi son blaze à ton frère ? .... – 10. L'entrée du magasin se trouve à trente mètres sur le même trottoir. ....

3 ★★★ Transpose ces expressions en langue courante.

1. T'es un vrai blaireau. ....

....

2. Elle se fout de moi. ....

....

3. Prends l'oseille et casse-toi. ....

....

4. J'kiffe trop cette chanson. ....

....

5. On m'a tiré ma caisse. ....

....

6. C'matin j'ai une pêche d'enfer. ....

....

7. On peut pas papoter et bosser en même temps. ...

....

8. Faudrait pas qu'il nous raconte des bobards. ....

....

9. J'pige que dalle à tes salades. ....

Auto évaluation Très bien ☐ Bien ☐ Pas assez bien ☐

33 La formation des mots

→ Corrigés p.V

J'observe et je retiens

■ **Exemple :** *dé/chauss/er*
dé- marque l'éloignement, la séparation (**préfixe**) ;
chauss renvoie aux chaussures (**radical**) ;
-er indique qu'il s'agit d'un verbe à l'infinitif (**suffixe**).

Il existe aussi des mots qui correspondent seulement à une racine : *sel*, *fleur*, *mer*, etc.

Rappel
Un mot est comme un puzzle, composé souvent de plusieurs morceaux qui apportent chacun un sens complémentaire.

■ **Exemples :** 1. *amerrissage*
2. *arbrisseau, arbuste, arboré.*

Le **radical** peut être : un mot simple (exemple 1 : **mer**) ou une partie du mot, parfois un peu modifiée, dont nous repérons les sens (exemple 2 : **arbr, arb, arbor** à rapprocher d'**arbre**).

■ **Exemples :** 3. *un avion monoplace (à une place)*
4. *un avion biplace (à deux places)*

Le **préfixe** est un élément **placé devant le radical** dont il modifie le sens, ce qui permet d'obtenir un mot nouveau (exemple 3 : **mono** = un seul et exemple 4 : **bi** = deux).

■ **Exemples :** 5. *exportable* (que l'on peut exporter)
6. *exportation* (action d'exporter)

Le suffixe est un élément **placé derrière le radical** dont il modifie le sens, permettant ainsi d'obtenir des mots de nature grammaticale différente (exemple 5 : le suffixe **-able** sert à former des adjectifs et exprime une qualité, une possibilité ; exemple 6 : le suffixe **-ation** sert à former des noms et indique qu'il s'agit d'une action).

J'applique

1 ★ **Sur quel mot simple (qui est le radical) ces mots sont-ils formés ?**

1. poissonnier → ....
2. effleurer → ....
3. grisâtre → ....
4. antialcoolique → ....
5. lentement → ....
6. montagnard → ....
7. centaine → ....
8. lourdaud → ....
9. laideron → ....
10. patinoire → ....
11. mythologie → ....
12. argenterie → ....
13. monticule → ....
14. maisonnée → ....
15. cartomancienne → ....
16. finaud → ....
17. droitière → ....
18. hautain → ....

2 ★ **Il existe de nombreux suffixes diminutifs : en complétant les noms, retrouve-les.**

1. petit garçon → garçonn..........
2. petite fille → fill..........
3. petit de la chèvre → chevr..........
4. petit du lapin → lap..........
5. ustensile de table → fourch..........
6. petit du chat → chat..........
7. petite île → îl..........
8. petite bête → besti..........
9. petite cheville → chevill..........

3 ** Trouve un groupe nominal dont le nom noyau sera formé à partir du verbe souligné dans chacune de ces phrases.

Exemple : *On fabrique des marionnettes.*
→ *fabrication des marionnettes*

1. Les Martiens arrivent. ....

....

2. On a vacciné tous les enfants. ....

....

3. Les livres scolaires sont ramassés ce matin. ....

....

4. Ils paient le voyage à l'agence. ....

....

5. Le nouveau supermarché ouvrira mardi. ....

....

6. La fusée a décollé cette nuit. ....

....

7. Le train partira avec cinq minutes de retard. ....

....

8. On lira des poésies à la bibliothèque. ....

....

9. On cueille le raisin en septembre. ....

....

10. Les villas se louent à la semaine. ....

....

Je m'entraîne

4 ** Le préfixe re- (ou r- ou ré-) indique qu'une action se répète. Retrouve les mots qui correspondent aux définitions.

1. abonner de nouveau → ....
2. activer de nouveau → ....
3. affirmer de manière plus catégorique → ....

....

4. aménager sur de nouvelles bases → ....

....

5. donner à nouveau des armes → ....
6. mettre à nouveau les boutons → ....
7. remettre au centre → ....
8. réparer le désordre d'une coiffure → ....

....

9. écrire à nouveau → ....

5 *** Un intrus s'est glissé dans chaque liste : entoure-le.

1. aimable – raisonnable – érable – faisable – irresponsable.
2. binocle – biplace – bimensuel – bimoteur – bizarre.
3. gentillesse – caresse – étroitesse – largesse – faiblesse – tristesse.
4. doucement – gentiment – couramment – savamment – évidemment – firmament.

6 *** Les suffixes -ard, -asse, -ace, -âtre ont un sens péjoratif : complète les mots pour obtenir ce sens.

1. Ce soldat n'ose pas affronter l'ennemi, c'est un fuy........................ – 2. Ses cheveux sont d'un vilain blond, ils sont blond........................ – 3. Quand repeins-tu ces murs jaun..................... ? – 4. Les gens de la haute société ne veulent pas se mêler à la popul........................ – 5. Il n'a pas dû laver son pull, il est blanch........................ .

7 *** Ajoute un préfixe et/ou un suffixe aux mots qui te sont proposés, puis construis une courte phrase en utilisant ces mots.

1. volcan........... → ....

....

2. pigeon........... → ....

....

3. ....siège........... → ....

....

Aide
Accent grave à modifier.

Auto évaluation Très bien ☐ Bien ☐ Pas assez bien ☐

34 Quelques mots issus du grec

→ Corrigés p.V

J'observe et je retiens

Exemple : *en grec, chronos = temps. On retrouve chronos dans :*
- *chronologie (succession dans le temps d'événements historiques) ;*
- *chronique, adjectif : (qui dure longtemps) ;*
- *chronomètre (montre qui permet de mesurer le temps de façon très précise) ;*
- *anachronisme (erreur qui consiste à placer un élément à une mauvaise époque ou date).*

En français, beaucoup de mots sont formés à partir d'éléments grecs que l'on retrouve donc toujours écrits de la même façon et qui ont le même sens.

Quelques racines grecques à connaître

mot grec*	sens en français	mot où l'on retrouve ce sens
anthropo	homme	anthropophage
cyclo	cercle	cyclique
ethno	peuple	ethnologue
gyné	femme	gynécologue
hémi	demi	hémiplégique
hippo	cheval	hippodrome
homo	semblable	homosexuel
hydro	eau	hydraulique
hyper	au-dessus, trop	hypertension
hypo	sous, pas assez	hypotension

mot grec*	sens en français	mot où l'on retrouve ce sens
mono	un, seul	monothéiste
ophtalmo	œil	ophtalmologue
phagia	manger	anthropophage
philo	ami	philanthropie
phobo	peur	phobie
photo	lumière	photographie
poly	plusieurs	polythéiste
rhino	nez	rhinocéros
thermo	chaleur	thermique
théo	dieu	théologie

* Présenté, pour simplifier, sous la forme telle qu'on la retrouve dans les mots français.

J'applique

1 * Sachant qu'un xénophobe n'aime pas les étrangers et qu'un xénophile les aime, quel est le sens de la racine grecque *xéno* ?

....

....

Je m'entraîne

2 ** Trouve les mots français issus de ces mots.

1. *pharmakon* (poison, remède) ....
2. *théoria* (observation) ....
3. *mythos* (légende) ....
4. *thérapéia* (soin) ....
5. *angelos* (messager) ....
6. *barbaros* (étranger) ....
7. *cyclos* (cercle) ....

3 * Un intrus s'est glissé dans chaque série de mots. En t'aidant d'un dictionnaire, trouve-le.**

1. rhinocéros – rhinite – rhizome.
2. filiale – philanthrope – philatélie – colombophile – philosophe.
3. thermes – thermique – thermidor – terme – thermomètre.
4. théologie – monothéiste – athée – polythéiste – politique.
5. misogyne – gynécée – gynécologue – gymnaste.

35 Quelques mots issus du latin

→ Corrigés p.V

J'observe et je retiens

Beaucoup de mots sont formés aussi à partir d'éléments latins.

En voici quelques exemples :

en latin	en français	mot obtenu
aqua	l'eau	aquarium
caput	la tête	décapiter
cide	qui tue	insecticide
equus	le cheval	équitation

Astuce
Pour deviner le sens d'un mot, cherches-en un autre formé à partir du même élément.

Beaucoup de préfixes sont latins aussi ; leur orthographe est parfois modifiée en fonction du radical qui suit : ***ad*** donne ***adjoindre*** mais aussi ***accourir***, ***apporter***, etc.

Voici les plus courants :

préfixe latin	sens	exemple
ab	loin de	absence
cum	avec	collaborer
de	séparation	détourner
in	dans, contraire privé de	injecter inégal
ob	devant, contre	objecter
pré	devant, avant	préhistoire
re	de nouveau, en arrière	recommencer

préfixe latin	sens	exemple
ad	vers	adresser
contra	contre	contradiction
ex	hors de	expulser
per	entièrement, à travers	perméable
post	après	postnatal
sub	sous	subaquatique
trans	à travers	transpercer

J'applique

1 ★ **Choisis le préfixe qui convient.**

1. revenir → ...... tourner – **2.** traverser → ...... percer
3. déclarer → ...... clamer – **4.** ce à quoi on se heurte → ...... stacle – **5.** ôter le courage → ...... courager – **6.** peut être pénétré → ...... méable – **7.** être en rapport avec → ...... respondre – **8.** sans pitié → ...... pitoyable – **9.** qu'on ne peut pas croire → ...... croyable.

Je m'entraîne

2 ★★ **Un intrus s'est glissé dans chacun de ces groupes de mots. Entoure-le (tu peux t'aider d'un dictionnaire).**

1. solitude – soliflore – soleil – soliste – soliloque.

2. carnassier – carnet – carne – carnivore – carnier.

3. fratricide – insecticide – trucider – génocide – acide.

4. somnifère – somnolence – somnambule – sommier.

3 ★★★ **Relie la définition qui correspond à chaque expression latine passée dans la langue française.**

1. Grosso modo •	• **a.** À égalité, à la même place
2. Ex aequo •	• **b.** Au premier abord
3. In extremis •	• **c.** Au tout dernier moment
4. A priori •	• **d.** Sans entrer dans les détails

Auto évaluation Très bien ☐ Bien ☐ Pas assez bien ☐

36 Synonymes/Antonymes/Homonymes/Paronymes

→ Corrigés p.V

J'observe et je retiens

■ **Exemples :** *gai, joyeux, heureux.*

Les **synonymes** sont des mots de **sens voisins.**

■ **Exemples :** *heureux, malheureux.*

Les **antonymes** sont des mots de **sens opposés.**

■ **Exemples :** *vair, ver, vert, verre.*

Les **homonymes** sont des mots qui ont la **même prononciation**, n'ont **pas le même sens** et peuvent s'écrire différemment.

■ **Exemples :** *éminent, imminent.*

Les **paronymes** sont des mots de **formes voisines,** mais de **sens différents.**

J'applique

1 ★ Cinq groupes de trois synonymes chacun se sont mélangés : reconstitue-les.

gras	malfaiteur	gros	svelte	songer
riche	penser	fin	cambrioleur	fertile
voleur	obèse	abondant	imaginer	mince

2 ★ Retrouve les antonymes des mots ci-dessous.

1. gros → m.............. – 7. minorité → m................
2. courageux → l............ – 8. refuser → a..............
3. aimer → h.............. – 9. construire → d............
4. intelligent → b......... – 10. complexe → s..........
5. rapide → l.............. – 11. inconnu → f..............
6. juste → i............. – 12. dehors → d................

Je m'entraîne

3 ★★ Quelques erreurs se sont glissées dans le texte ; rétablis les mots justes (ce sont des homonymes).

1. J'ai un thym de rose. .... – 2. Quand j'ai fin, je mange une tranche de pin. .... – 3. J'aime aussi le port aux lentilles et des dates en dessert. .... – 4. Je peux en manger autant que je veux, je n'ai jamais mal au chœur. .... – 5. J'entends les cloches raisonner au loin. .... – 6. Le bateau va bientôt arriver ; jetons l'encre et met-tons les poissons dans le sot. .... – 7. La maire Michel a perdu son chas. .... – 8. Mes vairs sont en cristal. ....

4 ★★★ Rends à chaque mot son synonyme en les reliant.

1. aptitude •	• a. faiblesse
2. opulence •	• b. farce
3. total •	• c. maquillage
4. fragilité •	• d. richesse
5. canular •	• e. somme
6. fard •	• f. possibilité

5 ★★★ Complète chaque phrase en choisissant l'un des deux paronymes.

1. J'ai payé trop d'impôts, je vais écrire au (précepteur/percepteur) ....
2. La (conjecture/conjoncture) .... économique rend les affaires difficiles.
3. Achète des (têtes/taies) .... d'oreiller.

Auto évaluation Très bien ☐ Bien ☐ Pas assez bien ☐

37 Sens propre/Sens figuré

→ Corrigés p.VI

J'observe et je retiens

■ **Exemple :** *Prête-moi le marteau, je dois planter un clou.*

Un mot possède un sens propre lorsqu'il est utilisé dans son sens le plus simple, le plus concret : *marteau* est ici un outil servant à planter des clous.

■ **Exemple :** *Ce garçon est complètement marteau.*
Quand on l'utilise de manière imagée, ce mot peut aussi avoir un **sens figuré**. Ici, *marteau* signifie *fou*.

Lorsqu'un mot peut avoir **plusieurs sens,** on parle de **polysémie**.

J'applique

1 * Dis si le sens du mot utilisé dans ces deux phrases est propre ou figuré.

1. Ses parents lui ont offert une luge <u>en bois</u>.

....

2. Ce client est le spécialiste du chèque <u>en bois</u>.

....

Je m'entraîne

2 ** Aux expressions suivantes correspond un sens précis : retrouve-le.

1. Noé a l'estomac dans les talons. •	• a. Être très étonné
2. Tu t'es jeté dans la gueule du loup. •	• b. Tousser beaucoup
3. Je suis tombé de haut. •	• c. Avoir très faim
4. Agathe a un chat dans la gorge. •	• d. Pas insurmontable
5. Ça n'est pas la mer à boire. •	• e. Se livrer involontairement

3 ** Entoure les mots qui ne peuvent avoir qu'un sens propre.

1. kilogramme – 2. vipère – 3. endive – 4. cochon – 5. ordinateur – 6. vache – 7. steak – 8. cinéma – 9. tuile – 10. convention – 11. arbre – 12. domino – 13. prédateur – 14. crème – 15. fauteuil.

4 * Les phrases suivantes sont au sens figuré ; récris-les au sens propre.**

1. Nino a la tête dans les nuages.

....

....

2. J'ai arrêté ce métier, j'en avais plein le dos.

....

....

3. À cause de cette grippe, Thomas est resté cloué au lit.

....

....

4. Si tu veux avoir ton examen, il va falloir mettre les bouchées doubles !

....

....

5. En rentrant en classe, nous avons pris un savon par le professeur.

....

....

6. J'en ai assez que l'on casse du sucre sur mon dos !

....

....

Auto évaluation   Très bien ☐   Bien ☐   Pas assez bien ☐

VOCABULAIRE

38 Éviter les répétitions

→ Corrigés p.VI

J'observe et je retiens

■ **Exemple :** *La princesse adorait les éclairs au café. Cette royale enfant* (périphrase) *ne pouvait résister aux gâteaux* (catégorie plus large). *La crème glacée était son péché mignon. On la voyait parfois hésiter entre deux parfums de glace* (synonyme) *: la fraise ou la passion* (suppression du mot « glace »).

► La répétition est l'utilisation d'un mot déjà employé dans la même phrase ou le même paragraphe. On peut l'éviter de différentes manières.

► Par l'utilisation de **pronoms** :
- personnels : *il(s), elle(s), le, la, les, se, lui, leur, en, y...*
- démonstratifs : *celui-ci, celui-là, celle-ci, celle-là...*
- possessifs : *le mien, le tien, la tienne...*
- relatifs : *qui, que, quoi, dont, où, lequel, laquelle...*

► Par l'utilisation de **déterminants** possessifs : *son, sa, ses, leur, leurs...*

► Par l'utilisation de **mots de sens proches** (mot désignant une catégorie plus large, périphrase, synonyme).

► Par la **suppression** du mot à répéter.

J'applique

1 ★ **Récris le texte ci-dessous en évitant les répétitions du mot « joueur ».**

Aide
Tu utiliseras les moyens suivants : suppression du mot « joueur » (deux fois), pronom personnel « le », mots de sens proche : « concurrent » et « tennisman ».

Lors de cette rencontre de tennis, le premier joueur était expérimenté et motivé ; le second joueur était jeune et fougueux. Quand les journalistes ont vu le second joueur, ils ont déclaré : « Voilà un joueur qui ne passera pas le premier tour ! » Mais pendant la rencontre, le premier joueur fut dépassé par le second joueur au jeu rapide et puissant.

....

....

....

....

....

....

....

....

Je m'entraîne

2 ★★ **Repère les répétitions dans le texte, et supprime-les en utilisant à ta convenance : pronoms, périphrases, déterminants...**

Robert monta dans la barque le premier ; Lucas, armé d'une canne à pêche en bambou, suivit Robert. Robert se moqua de l'attirail de Lucas. Robert et Lucas ramèrent jusqu'au milieu de l'étang. Robert possédait une canne télescopique en fibre de carbone, cette canne valait une fortune. Au bout de quelques minutes Lucas remonta une superbe truite ; Robert admira la truite avant de déclarer que c'était la chance des débutants. Robert ne prit qu'un petit gardon, ce gardon fit bien rire Lucas. Robert et Lucas passèrent la journée à plaisanter au sujet de toutes les truites et de tous les gardons de l'étang. À la tombée de la nuit, Robert et Lucas rentrèrent préparer les truites, les gardons, les sandres, les carpes et les brochets qu'ils avaient pêchés.

....

....

....

....

....

....

3 ** **Remplace le mot souligné dans chaque phrase par l'une des périphrases suivantes : la bête à bon Dieu – le Toit du monde – le Vieux Continent – le septième art – le billet vert – la langue de Molière – le petit écran – le plancher des vaches.**

1. Le *cinéma* est une passion qui me dévore.

....

2. Les alpinistes ont planté un drapeau au sommet de l'*Himalaya*. ....

3. Il n'y a pas de langue plus difficile que la *langue française* ! ....

4. La *coccinelle* est reconnue comme le meilleur insecticide naturel. ....

5. Aujourd'hui, le *dollar* est la principale monnaie d'échange. ....

6. Barack Obama a annoncé qu'il allait se déplacer rapidement en *Europe*. ....

7. Nos spationautes furent ravis de regagner *la Terre*.

....

4 ** **Trouve un terme désignant une catégorie plus large, correspondant à chaque série de mots proposés.**
Exemple : *banquette, fauteuil, tabouret, chaise, sofa, canapé* → SIÈGE

1. Braque, caniche, boxer, berger picard, bouvier bernois, setter irlandais → ....

2. Chandail, pantalon, chaussettes, chemisette, caleçon, bermuda, parka → ....

3. Hangar, musée, maison, pavillon, église, villa, fermette, gratte-ciel → ....

4. Ballet, cabriole, mazurka, tango, valse, rumba, samba, slow, farandole → ....

5. Paprika, piment, poivre, safran, curry, cumin, sauge, girofle → ....

5 *** **Pour éviter des répétitions fâcheuses, remplace les mots en gras par un synonyme, pris dans la liste proposée :** adorable – ponctualité – avenant – satisfaction – redoutable – hospitalité.

1. Les Grecs accueillent bien volontiers les étrangers ; leur **accueil** est une tradition qui remonte à l'Antiquité. ....

2. Il est important d'accueillir les clients avec le sourire : une hôtesse **souriante** suscitera la bonne humeur. ....

3. Soyez à l'heure ! **Le fait d'être à l'heure** est la plus grande des politesses. ....

4. Cette vedette est connue pour sa gentillesse ; elle est très **gentille** avec tous ses fans. ....

5. À chaque fois qu'il est content, il siffle de **contentement**. ....

6. Il y a grand danger à vous approcher de ces animaux : leur morsure est très **dangereuse** ! ....

6 *** **Récris ces phrases en remplaçant la répétition (en gras) par un pronom personnel, démonstratif ou possessif.**

1. Ma voiture est en panne, pouvons-nous prendre **ta voiture** ? ....

....

2. J'hésite entre ces chaussures-ci et **ces chaussures-là**.

....

....

3. Je ne trouve plus mes clés : vois-tu **mes clés** ?

....

....

4. Placez votre valise sur **ma valise**. ....

....

5. Nous allons souvent dans ce parc d'attractions, **ce parc d'attractions** a une renommée internationale.

....

....

Auto évaluation Très bien ☐ Bien ☐ Pas assez bien ☐

39 A/À

→ Corrigés p.VI

J'observe et je retiens

■ **Exemple :** *J'ai donné le hareng à ton chat.*

À (accent grave) est une **préposition**.

Elle est utilisée pour introduire des compléments de temps (*je viendrai à trois heures*), de lieu (*je vais à Paris*), des compléments d'objet indirects (*je parle à ma sœur*), des compléments d'adjectif (*agréable à entendre*), mais **jamais de C.O.D**.

■ **Exemple :** *Il a des yeux brillants.*

A (sans accent) est une forme conjuguée du **verbe avoir**.

■ On l'emploie dans deux cas :
- indicatif présent suivi d'un C.O.D. (*il a des yeux brillants*) ;
- indicatif présent utilisé comme auxiliaire et suivi d'un participe passé (*il a regardé le film*).

Astuce
- A sans accent : verbe avoir ; on peut conjuguer le verbe à l'imparfait (avait), la phrase reste correcte. **Exemple** : *Il avait des yeux brillants.* → correct.
- À avec accent : **préposition** ; on ne peut pas remplacer par avait, sinon la phrase est incorrecte. **Exemple** : *J'ai donné le hareng avait ton chat.* → incorrect.

J'applique

1 ★ **Choisis a ou à.**

1. Il .... fait chaud cet été. – 2. Il .... eu beaucoup de difficultés .... résoudre cet exercice. – 3. J'en ai parlé .... mon oncle. – 4. Il .... une voiture .... me prêter. – 5. Je vais .... Nancy. – 6. Elle .... un avion .... prendre .... huit heures. – 7. Elle .... encore beaucoup d'achats .... faire. – 8. Elle .... décidé de partir. – 9. Il .... peur d'avoir affaire .... cet inspecteur. Il n'....... pas l'air aimable. – 10. Il .... déjà mangé le cassoulet. – 11. Il .... parlé .... sa sœur. – 12. Il est .... Cuba jusqu'....... la fin de l'année. – 13. Cette maison est vendue .... bas prix.

2 ★ **Choisis a ou as.**

1. Comme tu .... de grandes dents ! – 2. Elle .... un sac rempli d'or. – 3. Tu .... déjà fait cet exercice. – 4. Il .... toujours chaud ! – 5. ....-tu faim ? – 6. Elle lui .... écrit. – 7. Il .... déjà raconté cette histoire. – 8. Il n'en .... pas après elles, il en .... après leurs perpétuels retards. – 9. ....-t-elle compris cet exercice ? – 10. Tu .... failli réussir !

3 ★★ **Complète les phrases avec à, a ou as.**

1. Tu .... encore beaucoup .... apprendre. – 2. Geoffroy .... offert une truite .... son chat pour Noël. – 3. Tu .... des chaussures neuves ; ....-tu pensé .... les cirer ? – 4. Si tu .... faim, tu peux faire cuire ces saucisses .... la poêle. – 5. Elle .... promis .... son amie d'aller la voir .... la saison des pluies. – 6. .... Tahiti, il ne fait jamais froid. – 7. C'est .... prendre ou .... laisser. – 8. Quel plat .... emporter ....-tu choisi ? – 9. Les enfants jouent .... saute-mouton.

Auto évaluation Très bien ☐ Bien ☐ Pas assez bien ☐

40 Ou/Où

→ Corrigés p.VI

J'observe et je retiens

■ **Exemples :**

1. *Veux-tu un mille-feuille ou un chou ?*
2. *J'irai où tu iras.*
3. *Où iras-tu ?*

Ou sans accent (exemple 1) est une **conjonction de coordination.**

■ **Ou** relie souvent deux éléments de même nature (deux groupes nominaux : *un mille-feuille ou un chou*, deux verbes : *boire ou conduire*, deux propositions : il *chante ou* il *siffle*, etc.). On peut remplacer **ou** par **ou bien.**

Où avec accent (exemples 2 et 3) est un **pronom relatif** (exemple 2) ou un **adverbe interrogatif** (exemple 3).

■ **Où** peut, selon les cas, marquer le lieu, le temps ou la situation. On ne peut pas remplacer **où** par **ou bien.**

J'applique

1 ★ **Entoure ou quand tu peux le remplacer par ou bien.**

1. Veux-tu du chocolat ou du café ? – **2.** Dis oui ou non, mais dis quelque chose ! – **3.** D'où viens-tu ? – **4.** Par où passeras-tu ? – **5.** Le professeur ne sait plus où donner de la tête. – **6.** C'est à prendre ou à laisser ! – **7.** Je pense que Basile est parti jouer au football ou qu'il se cache dans le garage. – **8.** Alice a trouvé un étang où les truites sont énormes. – **9.** Tu as vu où ton histoire nous a menés. – **10.** Docteur, est-ce une fille ou un garçon ?

2 ★★ **Choisis entre ou et où.**

1. Elle est arrivée au moment .... il commençait à pleuvoir. – **2.** Tu trouveras tes affaires là .... tu les as laissées. – **3.** Quand il est malade, il éternue .... il tousse. – **4.** Es-tu d'accord .... non ? – **5.** Léa ne sait pas .... aller pour les vacances. – **6.** J'aimerais une jupe bleue .... verte. – **7.** .... as-tu rangé mes chaussettes ? – **8.** À l'époque .... nous vivons, il faut parler plusieurs langues. – **9.** D'....... tenez-vous cette information? – **10.** Je cherche un endroit .... acheter des œufs d'autruche. – **11.** Donne-moi la moitié des chocolats .... je dis à maman que tu les as pris ! – **12.** Je ne sais pas .... tu es allé chercher ton ami ; il est fou .... génial ! – **13.** C'est un ordinateur .... une tondeuse à gazon ? .... l'avez-vous acheté ?

Je m'entraîne

3 ★★ **Choisis entre ou et où.**

1. Bill ne sait pas encore s'il part maintenant .... s'il les attend. – **2.** « La bourse .... la vie ! » – **3.** .... sont les enfants ? – **4.** Je ne sais pas si c'est un chevreuil .... un jeune cerf. – **5.** Les girolles, ... chanterelles, poussent dans les bois. – **6.** La renoncule est une herbe aux fleurs jaunes .... blanches. – **7.** Il ne porte que des chemises en coton .... en lin. – **8.** Les colchiques, ... safrans des prés, sont des fleurs vénéneuses.

Auto évaluation — Très bien ☐ Bien ☐ Pas assez bien ☐

41 Et/Est

→ Corrigés p.VI

J'observe et je retiens

■ **Exemple :** 1. *Alice est ma cousine.* 2. *Alice est partie en vacances.* 3. *Alice et Paul vivent en Irlande.*

Est correspond au présent de l'indicatif du verbe être, 3e personne du singulier.

■ On l'emploie dans deux cas :
- verbe **être** à l'indicatif présent **suivi d'un attribut du sujet ou d'un C.C. de lieu** (exemple 1) ;
- verbe **être employé comme auxiliaire** pour conjuguer un verbe au passé composé (exemple 2).

Et est une conjonction de coordination (exemple 3).

■ Il relie deux éléments de même nature (deux groupes nominaux, deux verbes, deux propositions...).

Astuce
On peut remplacer **est** par **était**.
On peut remplacer **et** par **et puis**.

J'applique

1 ★ **Sur une feuille à part, récris ce texte en conjuguant les verbes à l'imparfait de l'indicatif.**

Dans la Grèce antique, il y a une légende qui évoque Arachné et son incroyable destin. C'est une jeune fille très habile et experte dans l'art du tissage. Elle est très fière de ses dons et même un peu prétentieuse. Quand elle entend dire qu'elle est la meilleure tisseuse au monde, Héra est vexée et décide de la mettre à l'épreuve. Une compétition est ainsi lancée... Arachné réalise une tapisserie qui est magnifique et représente les amours des dieux. Héra est très en colère et métamorphose Arachné en araignée.

Je m'entraîne

2 ★★ **Choisis entre et et est.**

1. Il .... déjà tard .... nous n'avons pas terminé nos devoirs ! – **2.** Léo ...... parti jouer au football ...... il a oublié son maillot. – **3.** Elle .... malade .... elle ne prend pas de médicaments. – **4.** La plage .... couverte d'algues .... de coquillages. – **5.** Elle .... à Paris .... elle ne rentre que demain. – **6.** Il fait chaud .... humide dans les pays tropicaux. – **7.** .... si l'on faisait une partie d'échecs ? – **8.** Il .... responsable ...... coupable. – **9.** Achète une baguette .... des croissants, il .... déjà dix heures !

3 ★★ **Choisis entre et et est.**

1. Le train part à neuf heures .... arrive à onze heures ; il .... prudent de réserver sa place. – **2.** Où .... -elle ? Son manteau .... son sac sont pourtant là ! – **3.** Il .... en retard .... ne nous prévient même pas ; c'....... inadmissible ! – **4.** Ce scooter .... très cher .... il n'....... pas fiable ! – **5.** Installons-nous ici .... commandons le plat du jour : la cuisine .... excellente. – **6.** Ce livre .... intéressant .... il se lit facilement. – **7.** Il .... très rare de rencontrer des élèves qui réclament davantage de devoirs.

4 ★★ **Choisis entre et et est.**

1. Mon perroquet .... un animal de compagnie tout à fait charmant. – **2.** Il .... capable de parler .... appelle mes amis par leur prénom. – **3.** Il .... aussi réputé pour ses histoires drôles .... ses devinettes. – **4.** De plus – .... cela ne gâche rien ! –, il .... magnifique ! – **5.** Son plumage .... multicolore, il a des plumes vertes, des bleues .... des jaunes. – **6.** Il s'....... mis en tête de chanter des airs d'opéra. – **7.** Le problème, c'....... qu'il .... enroué !

Auto évaluation Très bien ☐ Bien ☐ Pas assez bien ☐

42 On/Ont – Son/Sont

→ Corrigés p.VI

J'observe et je retiens

■ **Exemples :**

1. *On est content.* — pronom indéfini
2. *Il est content.* — pronom personnel
3. *Ils ont de la chance.* — verbe avoir à l'indicatif présent
4. *Ils avaient de la chance.* — verbe avoir à l'indicatif imparfait

On peut être remplacé par **il** ; **ont** peut être remplacé par **avaient**.

■ **Exemples :**

5. *Il promène son chien.* — déterminant possessif singulier
6. *Il promène ses chiens.* — déterminant possessif pluriel
7. *Ils sont contents.* — verbe être à l'indicatif présent
8. *Ils étaient contents.* — verbe être à l'indicatif imparfait

Sont peut être remplacé par **étaient** ; **son** peut être remplacé par **ses**.

J'applique

1 ★★ **Complète les phrases avec son ou sont.**

1. Célia adore .... poney. – **2.** Karina a arrosé Paul et a mouillé .... pull ! – **3.** Les chevaux .... dans la pâture. – **4.** Où ....-ils ? Je ne les vois plus ! – **5.** La sorcière s'est envolée sur .... balai. – **6.** La mère Michel a perdu .... chat ! – **7.** Fatou a acheté .... cartable dans cette boutique. – **8.** Vous ne les verrez pas, ils .... déjà partis ! – **9.** Les invités .... déjà là et rien n'est prêt ! – **10.** J'ai reçu hier .... bouquet : les roses .... déjà fanées !

2 ★★ **Complète les phrases avec on ou ont.**

1. .... est prié de ne pas fumer ! – **2.** Le cambrioleur ne pensait pas qu'....... le retrouverait. – **3.** Ils .... tout mangé et ne m'....... rien laissé ! **4.** Elles .... eu très peur quand .... les a menacées de les punir. – **5.** Lorsqu'....... leur a proposé un dessert, ils .... refusé. – **6.** .... a volé les bijoux de ma tante, hélas les policiers nous .... dit qu'....... ne les retrouverait jamais. – **7.** .... a tous rêvé un jour d'être une star. – **8.** .... a coupé l'électricité ! .... ne voit plus rien ! – **9.** .... est de mauvaise humeur quand il pleut.

Je m'entraîne

3 ★★★ **Complète avec son, sont, on ou ont.**

1. Ce .... des gâteaux qu'....... prépare deux semaines à l'avance. – **2.** Les chiens .... un excellent odorat, certains .... même entraînés à chercher des truffes. – **3.** .... a retrouvé les affaires de Lilou sur la plage : sa serviette, ses palmes et .... tuba. – **4.** Quand .... discours est long, ... s'endort ! – **5.** .... avait invité Margot mais les gendarmes l'....... arrêtée sur la route et .... confisqué .... permis.

4 ★★★ **Choisis on ou on n'.**

Aide
Quand il y a une négation derrière le verbe, on écrit on ne … pas.

1. Est-il coupable ? .... en sait rien ! – **2.** .... est jamais sûr de rien. – **3.** Pourrait-....... s'arrêter ? .... en peut plus. – **4.** .... est tous contents ! – **5.** .... est pas ravis d'être là mais .... avait pas le choix ! – **6.** .... a eu de la chance.

Auto évaluation — Très bien ☐ Bien ☐ Pas assez bien ☐

43 S/Ss

→ Corrigés p.VII

J'observe et je retiens

■ **Exemples :** 1. *Une rose, désherber*
S, entre deux voyelles, se prononce [**z**], **h** ne compte pas.

2. *une souris, une chanson*
S, à côté d'une consonne, se prononce [**s**].

3. *un hérisson*
Pour obtenir le son [**s**] entre deux voyelles, il faut écrire **ss**.

■ Pour certains mots (surtout des verbes), **s** entre deux voyelles se prononce exceptionnellement [**s**].
Ce sont des mots qui commençaient par **s** à l'origine et auxquels on a ajouté un préfixe.

■ **Exemple :** *sensibiliser → désensibiliser.*

Remarque
Si l'on entend le son [z] pour une lettre qui n'est pas située entre deux voyelles, c'est qu'il s'agit de la lettre z.
Exemple : *un zèbre.*

J'applique

1 ★ **Souligne les mots lorsque tu entends le son [z].**

déshériter – échanson – dessaler – obséder – penser – causer – oser – insister – installer – décapsuler – déshabiller – dissocier – dissoudre – somnambule – lys – siège – asperge – bison.

2 ★★ **Écris s ou ss.**

1. Cette jument n'est qu'une vieille ro......e. – **2.** Voici un bouquet de ro......es. – **3.** Ton idée est sen......ationnelle ! – **4.** Tu sais bien que j'ai rai......on ! – **5.** Je préfère le pain de ......eigle. – **6.** Sans hé......itation, je prendrai du sauci......on et des sauci......es de Toulouse. – **7.** Achète de la le......ive avec adouci......ant. – **8.** Il faut ré......ister à la tentation ! – **9.** Je n'ai pas ré......olu mon problème. – **10.** À la belle sai......on, les ro......ignols chantent. – **11.** Ce vin a un goût de ré......ine. – **12.** Va chercher trois croi......ants et deux chau......ons. – **13.** Les enfants font des châteaux de ......able.

Je m'entraîne

3 ★★★ **Écrire s au lieu de ss ou inversement peut engendrer bien des confusions : repère les erreurs et écris correctement le mot concerné à la fin de la phrase.**

1. J'adore le poison avec du citron. .... – **2.** La vilaine sorcière a mis du poisson dans la pomme de Blanche-Neige. .... – **3.** Pour découvrir le dessert, le chameau est l'animal idéal. .... – **4.** Chez mamie, il y a toujours d'excellents déserts. .... – **5.** Le chat n'a pas le droit de faire ses griffes sur les cousins. .... – **6.** Lou est allée au supermarché avec son coussin. .... – **7.** Sa voiture n'était pas réparable, on l'a mise à la case. .... – **8.** As-tu lu *La Casse de l'oncle Tom* ? ....

4 ★★★ **Indique le verbe simple (sans préfixe) et souligne où l'on entend le son [s].**

Exemple : *désolidariser → solidariser.*

1. présélectionner → ....

2. désintéresser → ....

3. resaler → ....

Auto évaluation — Très bien ☐ Bien ☐ Pas assez bien ☐

44 C/Cu/Ç

→ Corrigés p.VII

J'observe et je retiens

■ **Exemple :** *cinéma*
C, devant e, i, y, se prononce [**s**].

■ **Exemple :** *écueil*
Pour obtenir le son [**k**] devant e, i, y, on écrit **cu**.

■ **Exemple :** *cadeau*
C, devant a, o, u, se prononce [**k**].

■ **Exemple :** *garçon*
Pour obtenir le son [**s**] devant a, o, u, on ajoute une **cédille**.

À savoir
Dans certains mots, « ch » se prononce [k].
Exemples : *chronologie, technique…*

J'applique

1 ★ Un intrus s'est glissé dans chaque liste de mots. Entoure-le.

1. limace – leçon – citoyen – escargot – glaçon.
2. cageot – carton – coquelicot – écueil – cochon.
3. cochonnet – saucisson – carnaval – carotte – calque.
4. carrosse – cellulite – cabinet – culture – colle.
5. cécité – catastrophe – ceinture – rapace – pièce.
6. citron – écouter – cirque – mincir – citoyen.

2 ★★ Complète les mots avec c, ç ou cu.

1. dé.......aper
2. colima.......on
3. ....alme
4. ....ivique
5. ....or
6. ....orps
7. caden.......e
8. hame.......on
9. ....eillette
10. é.......u
11. ac.......eil
12. faïen.......e
13. pin.......eau
14. su.......ette
15. ....oquin
16. ....e.......i
17. ré.......itation
18. ma.......on
19. re.......eil
20. poli.......ier
21. re.......eillement
22. re.......u
23. s.......ène.

Je m'entraîne

3 ★★ Dans chaque liste, un mot est mal écrit ; retrouve-le et écris-le correctement.

1. escalier – cualcaire – cité – écu

....

2. côté – racisme – catastrophe – réçitation

....

3. cirage – cil – écureuil – exçeption

....

4. accorder – écouter – accepter – décuompter

....

4 ★★★ Complète les mots avec c, ç ou cu.

..........e matin-là, j'étais en..........ore d'humeur ....apri..........ieuse ; aussi je lui ....onfiai de fa..........on peu aimable mon mé..........ontentement. Mon entraînement au cheval d'ar..........on avait été une ....atastrophe et j'étais rentré dé..........u. Pour me ....onsoler, reprendre des for..........es, je pris une sau..........isse de Toulouse (.......... 'est très bon dans le ....assoulet), du ....ervelas, du pâté en ....roûte, des avo..........ats au ....rabe et un petit blo.......... de foie gras avec des mor..........eaux. Comme je suivais une ....ure d'amaigrissement, je pris la dé..........ision de ne manger le lendemain qu'une ....oquille de poisson avec des hari..........ots verts. Cela ....ompenserait mes ex..........ès !

Auto évaluation Très bien ☐ Bien ☐ Pas assez bien ☐

45 G/Ge/Gu

→ Corrigés p.VII

J'observe et je retiens

■ **Exemple :** 1. *garçon*
G devant **a, o, u** se prononce **[g]**.

■ **Exemple :** 2. *pigeon*
Devant **a, o, u**, pour obtenir le son [ʒ], on écrit **ge**.

■ **Exemple :** 3. *girouette*
G devant **e, i, y** se prononce [ʒ].

■ **Exemple :** 4. *guitare*
Devant **e, i, y**, pour obtenir le son [g], on écrit **gu**.

Remarque
Les verbes en **-guer** gardent le **u** à toutes les personnes conjuguées, même devant **a** et **o**.
Exemple : *je naviguais, nous naviguons.*

■ **Exemples :** 5. *Naviguant trop près de la côte, le bateau a échoué sur un rocher.*
6. *Les hôtesses au sol travaillent dans l'aéroport, alors que les hôtesses navigantes travaillent à bord des avions.*

Au participe présent, les verbes en **-guer** gardent aussi le **u** (exemple 5), contrairement à l'adjectif verbal (exemple 6).

J'applique

1 ★★ **Choisis g, gu ou ge.**

1. Un archéolo...... e s'occupe d'archéolo...... ie. – 2. Je décore le sapin de Noël avec des ...... irlandes. – 3. Quand nous sommes arrivés à la ...... are, le train était déjà parti ! – 4. Les Grecs étaient d'excellents navi...... ateurs car depuis toujours ils s'étaient passionnés pour la navi...... ation. – 5. En navi...... ant, Ulysse a découvert des îles étran...... ères. – 6. Quand on fait un ...... âteau, il faut toujours bien mélan... er la farine et les œufs ; si on ne les mélan...... ait pas, cela ferait des ...... rumeaux. – 7. Le moniteur de danse m'a dit que je ne bou...... ais pas les pieds assez vite. – 8. Les ...... oélands sont des oiseaux marins.

Je m'entraîne

2 ★★★ **Des erreurs se sont glissées dans ce texte : souligne les mots écrits incorrectement et récris-les.**

Comme Georges avait des guanglions et se sentait fatigué, il alla voir le médecin qui lui dit : « Au lieu de jouer de la guitare, vous auriez dû venir me voir plus tôt. Mais vous êtes insouciant comme la ciguale de la fable ! » Ensuite, il lui prodiga des conseils pour guérir plus vite : manger des gâteaux à la goyave, des graines de tournesol et de gigantesques tranches de gigot.
« En nargant les microbes, poursuivit-il, vous négligeiez de les combattre et vous leur avez ménagé un terrain propice. » À la fin du dialogue, il l'obligea à prendre des antibiotiques, avec des figes pour que cela ait meilleur guoût.

....

....

....

....

....

Auto évaluation Très bien ☐ Bien ☐ Pas assez bien ☐

46 Ce/Se/Ceux

→ Corrigés p.VII

J'observe et je retiens

■ **Exemple :** *Ce coureur se précipite vers l'arrivée ; ceux qui le voient applaudissent.*

► **Ce** est un adjectif démonstratif ; on l'emploie pour montrer quelque chose ou quelqu'un (*Ce coureur*).
► **Se** (ou **s'**) est un pronom personnel réfléchi, il renvoie au sujet du verbe (*il se lave*). On écrit *se* devant un verbe pronominal ; en conjuguant, on peut remplacer *se* par **me, te, nous, vous** (*je me précipite*).
► **Ceux qui** est le pluriel de **celui qui** (*ceux qui le voient, ceux qui crient*).

■ **Exemple :** *Ceux qui se cachaient derrière le buisson ne s'attendaient pas à rencontrer ce chien féroce.*

- Ceux : en mettant au singulier on trouve : celui qui se cachait
- se : à l'infinitif cela donne : se cacher
- s'attendaient : s'attendre (on pourrait dire : je me cachais, je m'attendais)
- ce : on le montre : **ce** est placé devant un nom

Astuce
On peut remplacer ce, déterminant, par le : *ce* chien → *le* chien.

J'applique

1 ★★ **Récris ce texte à la 1re personne du singulier.**

Il se lève ce matin très tôt. Ce qu'il se prépare, c'est un excellent petit déjeuner. Il s'est acheté des œufs, du bacon et ce pain qui se vend à la boulangerie du centre. Il doit se dépêcher pour ne pas rater ce rendez-vous.

....
....
....
....
....

Je m'entraîne

2 ★★ **Complète par se, s' ou ce.**

1. Il .... pourrait que le prince sauve la pauvre Cendrillon. – **2.** .... chat appartient à ma grand-mère et .... appelle Darius. – **3.** Toutes les semaines il .... vend des centaines de lapins sur .... marché. – **4.** Il faut .... dire adieu, ... dire au revoir. – **5.** .... garçon ne sait pas manger proprement ; il .... goinfre et .... salit ! – **6.** C'est .... jour-là que ma belle-mère a décidé de .... faire appeler « maman ». – **7.** Jérôme ne .... fait pas de souci pour .... colis ; il pense qu'il arrivera sans problème.

3 ★★★ **Complète par ce qui, ceux qui, se ou ce.**

1. Devant les vitrines de Noël, ... bousculaient .... désiraient voir les dernières trouvailles électroniques. – **2.** .... attira l'attention des badauds, ... fut un automate qui jouait aux échecs. – **3.** Il .... tenait le menton de la main droite et .... grattait la tête de la main gauche. – **4.** .... joueur d'échecs paraissait bien sympathique. – **5.** .... furent intéressés par une partie purent s'inscrire pour rencontrer .... brave bonhomme électronique.

Auto évaluation Très bien ☐ Bien ☐ Pas assez bien ☐

47 Notre/Le nôtre – Votre/Le vôtre

→ Corrigés p.VII

J'observe et je retiens

■ **Exemples :** 1. *Notre voiture est en panne.* 2. *Votre chien n'est pas méchant.*

Notre et **votre** sont des **déterminants possessifs**. Ils **précèdent** un nom (ou un groupe nominal) et ne peuvent jamais s'employer seuls. Ils n'ont **pas d'accent**.

■ **Exemples :** 3. *La nôtre est en panne.* 4. *Le vôtre n'est pas méchant.*

La nôtre et **le vôtre** sont des **pronoms possessifs**. Ils **remplacent** un nom (ou un groupe nominal) qui serait précédé de l'adjectif possessif ; ils s'emploient **seuls**. Ils ont **toujours un accent circonflexe**.

J'applique

1 ★ Précise si les mots en orange sont des pronoms ou des déterminants possessifs et, en fonction de ta réponse, décide si tu dois mettre un accent.

1. Voici l'adresse de notre maison ; où est la vôtre ?

....

....

2. Votre déjeuner est prêt ; nous prendrons le nôtre plus tard.

....

....

Je m'entraîne

2 ★★ Complète les phrases avec notre, le nôtre, la nôtre, votre ou la vôtre.

1. Notre purée est froide mais .... fume encore. – 2. Prenez votre voiture, ... est en panne. – 3. Apportez votre barbecue, nous avons oublié .... – 4. Si vous faites cette excursion, vous devez prendre .... vélo. – 5. Comme vous étiez en retard, j'ai laissé .... choucroute sur le feu. – 6. Si nous partons en vacances, nous emmènerons .... chien. – 7. Notre ville est peut-être polluée, mais .... l'est encore plus !

3 ★★★ Complète les phrases avec notre, le nôtre, les nôtres, votre, le vôtre, les vôtres.

1. Nos skis sont au chalet, où sont .... ? – 2. Notre grand-père a peut-être mauvais caractère mais .... est encore pire ! – 3. Ne prenez pas vos patins, nous vous prêterons .... – 4. S'il vous plaît, quelle heure est-il à .... montre ? – 5. L'image de votre téléviseur n'est pas bonne, nous prendrons .... – 6. Qui garde vos enfants ? .... sont à la crèche.

4 ★★★ Complète les phrases avec notre, le nôtre, la nôtre, les nôtres, votre, la vôtre, les vôtres.

1. Que racontez-vous ? Je ne comprends rien à .... histoire ! – 2. J'ai cassé tous mes verres ; pouvez-vous me prêter .... ? – 3. Mère Michel, ne vous inquiétez pas pour .... chat ; nous l'avons retrouvé ! – 4. Mère-grand, que .... bouche est grande ! – 5. « J'espère que .... matelas était confortable ! »

Auto évaluation Très bien ☐ Bien ☐ Pas assez bien ☐

48 Leur/Leurs

→ Corrigés p.VII

J'observe et je retiens

■ **Exemple :** *J'ai emprunté aux voisins leurs assiettes et leur saladier.*

Leur/leurs est un déterminant possessif. Comme tout **déterminant**, il précède un nom et ne peut s'employer seul. **Il s'accorde en nombre**.

■ **Exemple :** *Quand les enfants sont venus, je leur ai donné des bonbons.*

Leur est un **pronom** personnel, mis pour un nom ou un groupe nominal. Il est suivi d'un verbe. **Il ne s'accorde jamais**.

Attention
Pour être sûr que leur est un déterminant et s'accorde donc au pluriel, remplace leurs par des, autre déterminant (*leurs assiettes → des assiettes*).

J'applique

1 ★ Complète ces phrases pour expliquer la façon dont on a accordé leur(s).

1. Ils ont pris leur voiture. → leur est adjectif possessif donc on pourrait accorder avec voiture mais .... au féminin.
2. Ils ont pris leurs valises. → leurs est adjectif possessif donc on pourrait accorder avec valises ; seule la marque .... est apparente.
3. Comme Stéphane et Sophie étaient inquiets, les enfants leur ont promis de rentrer tôt. → leur est pronom personnel mis pour Stéphane et Sophie donc .... d'accord.

2 ★ Écris ces phrases en remplaçant leur par lui et leurs par ses.

1. Je leur ai dit de prendre leurs skis. ....
....
2. Ils leur promettent d'entretenir leurs champs. ....
....
3. Le maître leur a confisqué leurs billes. ....
....
4. Je leur donnerais des claques ! ....
....

Je m'entraîne

3 ★★ Choisis leur ou leurs.

1. .... vie était triste. – 2. Personne ne .... rendait visite. – 3. Quand .... occupations le .... permettaient, ils allaient voir .... filles. – 4. L'une .... racontait ses tracas domestiques, l'autre .... apprenait les derniers potins du quartier. – 5. .... seul souci était qu'on dise que .... petits-enfants allaient bien. – 6. Au mois de juin, ils faisaient .... valises, allaient chercher .... billet d'avion. – 7. Un de .... gendres les accompagnait à l'aéroport. – 8. Pour ce qui est des cadeaux, à chaque fois .... petit-fils Julien .... demandait de lui rapporter un avion en modèle réduit. – 9. .... petite-fille Laura .... précisait qu'elle aimait les colliers de coquillages. – 10. Ils les .... rapportaient toujours. – 11. Les enfants .... adressaient toujours de chaleureux remerciements. – 12. .... tour viendrait un jour, où au cours de .... voyages, ils passeraient une bonne partie de .... temps à chercher les trésors qu'on .... avait demandés.

Auto évaluation — Très bien ☐ Bien ☐ Pas assez bien ☐

Mais/Mes

→ Corrigés p.VII

J'observe et je retiens

Exemples :
1. *J'ai perdu mes clés !*
2. *J'irais bien me promener, mais il pleut !*

► **Mes** (exemple 1) est un **déterminant possessif** (1re personne du singulier, plusieurs objets possédés).
► **Mais** (exemple 2) est une **conjonction de coordination** (mais, ou, et,donc, or, ni, car), indiquant une opposition, une restriction, une objection.

J'applique

1 ★ Récris ces phrases en remplaçant mes par les et mais par pourtant.

1. Rendez-moi mes livres ! ....

....

....

2. L'eau est froide, mais je vais me baigner. ....

....

....

3. Je n'ai pas mes cahiers, mais j'ai fait mes exercices.

....

....

Je m'entraîne

2 ★★ Choisis mes ou mais.

1. Hier, j'ai pris .... cannes à pêche et je suis allé au bord du lac.
2. La météo prévoyait du beau temps, ... il a plu toute la matinée.
3. .... affaires étaient toutes mouillées .... j'ai passé un bon moment car .... amis m'accompagnaient.
4. J'ai prêté .... cuissardes à Paul qui s'est avancé dans l'eau pour séparer .... lignes qui s'étaient emmêlées.
5. Il marchait doucement .... il a glissé sur la vase et il est tombé dans l'eau.
6. Surpris, j'ai laissé tomber tous .... asticots.

3 ★★ Choisis mes ou mais.

1. Je vais vous livrer une de .... astuces pour que .... journées soient paisibles au collège.
2. C'est une de .... amies sorcières qui m'a confié ce secret, ... ne le répétez à personne !
3. Quand .... devoirs ne sont pas faits, ni .... leçons apprises, j'envoûte .... professeurs ainsi : « Par Belzébuth, je n'ai pas fait .... devoirs .... ce soir, la lune brillera, je ne sais pas .... leçons .... ce soir le crapaud chantera. »
4. Et alors, c'est la fin de .... ennuis.
5. .... je dois retenir par cœur cette formule !

Auto évaluation — Très bien ☐ Bien ☐ Pas assez bien ☐

50 La/L'a/L'as/Là

→ Corrigés p.VII

J'observe et je retiens

■ **Exemples :**

1. *La moto de ton frère.*
2. *La bleue ? celle du garage ?*
3. *Oui, tu l'as déjà pilotée ?*
4. *Non, mon père l'a cassée.*
5. *Depuis elle reste là !*

Astuce
On peut remplacer là par ici.

- **La** est un article défini qui détermine le nom qu'il précède (exemple 1).
- **La** est un pronom personnel qui remplace un nom féminin (*moto*, exemple 2).
- **L'as** et **l'a** sont des pronoms personnels élidés avec l'auxiliaire avoir (exemples 3 et 4).
- **Là** est un adverbe de lieu. Il peut aussi indiquer un moment, *depuis ce moment-là* (exemple 5).

J'applique

1 ★ **Précise si les mots soulignés sont : un article défini, un pronom personnel, un pronom personnel élidé avec l'auxiliaire avoir, un adverbe.**

1. Je me demande si tu l'as fait exprès. .... – **2.** Si elle reste là, elle pourra voir le champion passer. .... – **3.** On se donne rendez-vous à la gare. .... – **4.** Il la prend et il la croque. .... – **5.** Chaque année, on s'arrête là avec mes parents. .... – **6.** Ce garçon ? Il l'a embauché. .... – **7.** Ne la dénonce pas. .... – **8.** Tu devrais arriver par là. .... – **9.** La meilleure façon de marcher, tu nous l'as montrée. ....

Je m'entraîne

2 ★★ **Complète ce texte en utilisant la forme qui convient parmi : la, là, l'a.**

À .... nuit tombée, ... sorcière a préparé son balai ; elle .... frotté avec une poudre magique et .... placé sur son balcon ! ...., elle a mis des lunettes de motard et des gants, puis elle a prononcé ces paroles : « Ô balai magique de .... nuit, tu ne vas pas rester .... ! Sur .... ville tu vas voler et .... sorcière tu vas emporter. » Et ...., elle .... enfourché, puis elle a disparu dans un nuage de poudre étincelante.

3 ★★★ **Choisis le bon homophone : la, là, l'as, l'a.**

1. Vous partez à .... plage ou vous restez .... ? – **2.** .... montre que je porte, il .... voudrait bien ! – **3.** À ce moment-........., l'avion a commencé à raser .... cime des arbres. – **4.** Vous ne pouvez pas reprendre .... route dans cet état-........., ... fatigue risque de vous jouer un mauvais tour ! – **5.** .... console que tu vois ...., tu .... commandes pour Noël ? – **6.** Oh, ... belle robe ! Je suis sûr que tu .... veux ! – **7.** .... jeune Élise est .... plus grande archéologue du monde ! – **8.** Je .... crois capable de réussir. – **9.** Traverser .... rue à cet instant-......... serait inconscient.

4 ★★★ **Choisis le bon homophone : la, là, l'as, l'a.**

1. J'ai .... dernière version du jeu « Vampires » et l'auteur me .... dédicacée. – **2.** Tu veux que je .... prévienne de ton arrivée ? Non, laisse-......... dormir et assieds-toi .... près de moi !

Auto évaluation Très bien ☐ Bien ☐ Pas assez bien ☐

51 L'accord du participe passé

→ Corrigés p.VIII

J'observe et je retiens

■ **Exemples :**

1. *Les enfants sont partis.*
2. *J'ai mangé des tomates.*
3. *Les tomates cueillies dans le jardin sont bien meilleures.*

► Pour savoir si l'on accorde ou pas le participe passé, on repère l'auxiliaire :

- employé avec l'auxiliaire **être**, le participe passé **s'accorde** en genre et en nombre avec le sujet (exemple 1) ;
- avec l'auxiliaire **avoir**, il n'y a pas d'accord avec le sujet (exemple 2) ;
- le participe passé **épithète** s'accorde en genre et en nombre avec le nom qu'il qualifie, comme un adjectif (exemple 3).

J'applique

1 ★ **Explique, comme ci-dessus, les règles appliquées pour chaque participe passé souligné.**

Quand Emma est sortie, elle n'a pas fermé la porte de la cage ; les lapins sont partis à la découverte du monde. Les deux plus gros sont restés cachés derrière la porte, ils ont ensuite rongé les carottes posées dans un panier. Jamais je n'ai oublié cette histoire connue maintenant de tous.

sortie → ....

fermé → ....

partis → ....

restés → ....

rongé → ....

posées → ....

oublié → ....

connue → ....

Je m'entraîne

2 ★★ **Souligne les sujets et accorde les participes passés.**

Quand les canards sauvages sont (revenir) ...., les chasseurs sont (aller) .... se cacher dans les huttes mais ils sont (repartir) .... bredouilles, car les volatiles effrayés par le bruit des fusils sont (retourner) .... vers des cieux plus cléments. Elle a beaucoup (rire) .... quand on est (venir) .... lui annoncer cela.

3 ★★ **Accorde les participes passés lorsque c'est nécessaire.**

Quand Minos, roi de Crète, a (envoyer) .... Thésée et ses compagnons dans le labyrinthe pour qu'ils soient (dévorer) .... par le Minotaure, la princesse Ariane a (avoir) .... très peur. Il faut dire que quand elle a (rencontrer) .... Thésée, elle a été (surprendre) .... par sa force et son courage. C'est comme cela qu'il a (charmer) .... Ariane. C'est elle qui l'a (aider) .... à sortir du dédale. Il a d'abord (tuer) .... le monstre et a (guider) .... ensuite ses compagnons vers la sortie grâce à un fil que lui avait (donner) .... Ariane.

Auto évaluation Très bien ☐ Bien ☐ Pas assez bien ☐

4 ** **Écris le participe passé des verbes entre parenthèses.**

Quand Thésée a (trouver) .... la porte du labyrinthe, il a (voir) .... Ariane qui l'attendait. Il lui avait (promettre) .... de l'épouser, elle n'a pas (oublier) .... cette promesse et a toujours (espérer) .... s'enfuir avec lui. Ils sont (partir) .... sur un bateau et ont (navigué) .... vers une autre île, Naxos, où ils ont (passer) .... la nuit. Ils ont (dormir) .... sur la plage, à la belle étoile, tellement épuisés qu'ils n'ont pas (sentir) .... la brise se lever. Ils n'ont pas été (réveiller) .... par les vagues.

5 *** **En tenant compte de l'accord du participe passé, donne un sujet à chaque phrase.**

1. .... sont parties à l'aube. – **2.** .... ont été très émus par ton comportement. – **3.** .... sommes tellement occupés que .... t'avons oublié. – **4.** .... seront acclamées par les spectateurs. – **5.** .... est vraiment adorée par ses parents. – **6.** .... était garée sous un énorme marronnier. – **7.** .... ont quitté le collège à 16 heures et .... est arrivée juste après. – **8.** Je trouve qu'............ sont particulièrement impolies avec le cuisinier. – **9.** .... as acheté un superbe tableau mais .... s'est trompée en acquérant cette sculpture. – **10.** Peux-tu me dire s'............ sont tombés dans le piège que .... avions tendu ?

Astuce

Si tu hésites à accorder un participe passé, remplace-le par le participe d'un verbe du 3e groupe (*prendre*, par exemple) : *cette décision, je l'ai retenue*/*cette décision, je l'ai prise*. On entend ainsi (ise) qu'il y a accord.

6 *** **Dans le texte suivant, écris correctement les participes passés.**

J'ai (faire) .... de nombreux voyages qui jusqu'à présent ne m'ont rien (coûter) .... Je vous explique comment je m'y suis (prendre) .... : adolescente, je suis d'abord (partir) .... avec mes parents. Ensuite, j'ai (faire) .... des safaris en Afrique et des croisières sur le Nil grâce à mon travail : j'ai (accompagner) .... des groupes de touristes. Je suis aussi (aller) .... en Inde pour organiser des circuits de découverte. J'ai (voir) .... des palais magnifiques, des temples merveilleusement (décorer) .... Mon travail est très (apprécier) ...., aussi, on m'a (demander) .... de prendre la direction d'un hôtel en Amérique du Sud. J'y ai (faire) .... la connaissance de personnes charmantes.

7 *** **En observant les accords, rétablis les phrases d'origine. Attention, chaque élément ne doit être relié qu'une fois.**

1. Voici le chemin que les randonneurs ont •	• **a.** parties faire des courses.
2. Nos filles sont •	• **b.** enchantée de nous accompagner.
3. Agathe et Max sont •	• **c.** emprunté.
4. Zoé a dit qu'elle était •	• **d.** allés en Irlande cet été.

Auto évaluation Très bien ☐ Bien ☐ Pas assez bien ☐

52 Les accords sujet/verbe

→ Corrigés p.VIII

J'observe et je retiens

■ **Exemples :**

1. *Hélène chante faux.*
   sujet singulier
2. *Riri, Loulou et Julie sont allés au marché.*
   noms au féminin et masculin ; le masculin l'emporte
3. *Tout le monde applaudit.*
   le verbe s'accorde au singulier quand le sujet est : tout le monde, tout, on, chacun, chaque, personne, n'importe qui, quiconque
4. *Voulez-vous de la purée ?*
   sujet inversé
5. *C'est toi qui m'accompagneras.*
   qui est sujet : le verbe s'accorde avec l'antécédent de **qui**
6. *Certains écoutent avec attention.*
   le verbe s'accorde au pluriel quand le sujet est : la plupart, certains, plusieurs, beaucoup, combien

Le verbe s'accorde toujours en nombre et en personne **avec son sujet**. S'il y a plusieurs sujets, le verbe s'accorde au pluriel.

J'applique

1 ★★ **Souligne le ou les sujets de chaque verbe en orange (quand le pronom relatif qui est sujet, souligne aussi son antécédent).**

1. Voilà l'histoire qu'il me raconte.
2. Quel grand service tu me rends !
3. Où court-elle ?
4. Paris et New York sont les plus belles villes du monde.
5. Tes cousins et moi sommes allés à la piscine.
6. Qu'ont choisi Julie, Sophie et Amélie ?
7. Je vous présente Juliette et Adrien qui vous hébergeront.
8. Ce n'est pas moi qui ai cassé le vase.

Je m'entraîne

2 ★★★ **Conjugue au présent de l'indicatif les verbes entre parenthèses.**

1. Labourage et pâturage (être) .... les mamelles de la France. – 2. Le renard et le loup, beaucoup trop fatigués pour courir, (décider) .... de se cacher. – 3. Que (décider) ....-il ? – 4. Moi qui (être) .... si courageuse, je (devoir) .... renoncer à cette aventure ? – 5. Comment en (être) .... vous arrivés là ? – 6. De tous côtés (arriver) .... des chasseurs. – 7. Que (pouvoir) .... je faire pour toi qui (sembler) .... si triste ?

3 ★★★ **Conjugue au présent de l'indicatif les verbes entre parenthèses.**

1. Pierre et moi ne (savoir) .... pas si nous irons en Alaska. – 2. Tous (rire) .... de tes bêtises ! – 3. Chacune (faire) .... ce qui lui (plaire) .... – 4. C'est nous qui (décider) .... – 5. La plupart, je crois, ne (savoir) .... pas quoi faire de leur temps libre. – 6. Beaucoup, désormais, (choisir) .... au dernier moment où partir en vacances. – 7. C'est Alice, Karim et moi qui (partir) .... demain. – 8. Comme il (faire) .... chaud, Léa, Vincent, le chien et toi (pouvoir) .... aller à la plage. – 9. Ton père et moi (préférer) .... rester au jardin.

Les fonctions

Fonctions	Exemples	Remarques
Sujet	Agathe a dix ans.	Le sujet est en général devant le verbe, mais il peut être inversé : « Reviens ! » dit Agathe.
Épithète	C'est une fillette charmante.	L'épithète est placée avant ou après le nom (il n'y pas de ponctuation).
Attribut du sujet	La gagnante du concours est Samia.	– L'attribut du sujet est placé après un **verbe d'état** : être, paraître, sembler, rester… – Il donne une information sur le sujet.
Complément du nom	Voici le cheval de Martin.	Le complément du nom est en général lié au nom ou au groupe nominal par une préposition.
C.O.D.	Hier, j'ai rencontré Yvon. Hier, je l'ai rencontré.	Le C.O.D. se trouve le plus souvent après le verbe sauf lorsqu'il s'agit des pronoms (*me, te, se, la, le, les, l', nous, vous, que*).
C.O.I.	J'ai parlé à Hugo. Je lui ai parlé.	Le C.O.I. est introduit par une **préposition** (souvent *à* ou *de*).
Complément circonstanciel de temps	Elle est partie à quatre heures. Elle est restée deux mois en Grèce.	– Le C.C. de temps est déplaçable et le plus souvent supprimable. – Il se construit avec ou sans préposition.
Complément circonstanciel de lieu	Elle est restée deux mois en Grèce.	– Le C.C. de lieu indique l'endroit où se déroule l'action. – Il répond à la question « où ? ».
Complément circonstanciel de manière	Elle attend les prochaines vacances avec impatience.	– Le C.C. de manière indique de quelle façon se déroule l'action. – Il répond à la question « comment ? ».
Complément circonstanciel de moyen	Elle a acheté un scooter avec ses économies.	– Le C.C. de moyen indique le moyen à l'aide duquel s'accomplit l'action. – Il répond à la question « à l'aide de quoi ? ».

Les conjugaisons

L'indicatif présent

- Les verbes en *-er* : n'oublie pas le « s » à la 2e personne du singulier → *tu oublies, tu cries.*
- Quelques verbes voient leur accent modifié selon la personne → *je cède, nous cédons.*

L'indicatif futur

- Les verbes en *-er* : infinitif + terminaisons → *je chanterai.*
- Les verbes en *-ir* : infinitif + terminaisons → *je partirai.*
- Les verbes en *-re* : infinitif sans « e » + terminaisons → *je vendrai.*
- Courir, mourir, pouvoir, voir et ses composés, acquérir et quérir prennent deux « r » → *je verrai, je courrai.*

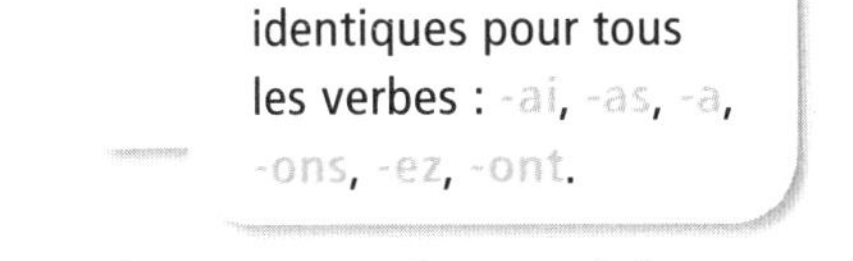

Rappel
Les terminaisons sont identiques pour tous les verbes : -ai, -as, -a, -ons, -ez, -ont.

Le subjonctif présent

- Si la prononciation est identique, attention à l'orthographe, différente de l'indicatif présent.

Indicatif présent	Subjonctif présent
Je vois	Que je voie

- Quand tu hésites entre le subjonctif et l'indicatif, remplace le verbe par un autre, qui a une forme différente à l'indicatif et au subjonctif : *je viens* → *il faut que je vienne.*

Le participe passé

- Quand tu hésites à mettre une consonne muette au masculin, accorde le participe passé au féminin pour savoir si l'on entend la consonne : *un poisson pris dans les filets* → *une carpe prise dans les filets.*

Quelques verbes à connaître

Infinitif	Indicatif présent	Indicatif futur	Indicatif imparfait	Indicatif passé simple	Impératif présent	Conditionnel présent	Subjonctif présent	Participe présent et passé
être	Je suis	Je serai	J'étais	Je fus	Sois	Je serais	Que je sois	Étant/été
avoir	J'ai	J'aurai	J'avais	J'eus	Aie	J'aurais	Que j'aie	Ayant/eu
aller	Je vais	J'irai	J'allais	J'allai	Va	J'irais	Que j'aille	Allant/allé
faire	Je fais	Je ferai	Je faisais	Je fis	Fais	Je ferais	Que je fasse	Faisant/fait
dire	Je dis	Je dirai	Je disais	Je dis	Dis	Je dirais	Que je dise	Disant/dit
prendre	Je prends	Je prendrai	Je prenais	Je pris	Prends	Je prendrais	Que je prenne	Prenant/pris
pouvoir	Je peux	Je pourrai	Je pouvais	Je pus	–	Je pourrais	Que je puisse	Pouvant/pu
voir	Je vois	Je verrai	Je voyais	Je vis	Vois	Je verrais	Que je voie	Voyant/vu
devoir	Je dois	Je devrai	Je devais	Je dus	Dois	Je devrais	Que je doive	Devant/dû
vouloir	Je veux	Je voudrai	Je voulais	Je voulus	Veuille	Je voudrais	Que je veuille	Voulant/voulu
savoir	Je sais	Je saurai	Je savais	Je sus	Sache	Je saurais	Que je sache	Sachant/su
valoir	Je vaux	Je vaudrai	Je valais	Je valus	Vaux	Je vaudrais	Que je vaille	Valant/valu
boire	Je bois	Je boirai	Je buvais	Je bus	Bois	Je boirais	Que je boive	Buvant/bu
mettre	Je mets	Je mettrai	Je mettais	Je mis	Mets	Je mettrais	Que je mette	Mettant/mis
venir	Je viens	Je viendrai	Je venais	Je vins	Viens	Je viendrais	Que je vienne	Venant/venu
asseoir	J'assieds	J'assiérai	J'asseyais	J'assis	Assieds	J'assiérais	Que j'asseye	Asseyant/assis
connaître	Je connais	Je connaîtrai	Je connaissais	Je connus	Connais	Je connaî-trais	Que je connaisse	Connaissant/connu
craindre	Je crains	Je craindrai	Je craignais	Je craignis	Crains	Je craindrais	Que je craigne	Craignant/craint
croire	Je crois	Je croirai	Je croyais	Je crus	Crois	Je croirais	Que je croie	Croyant/cru
peindre	Je peins	Je peindrai	Je peignais	Je peignis	Peins	Je peindrais	Que je peigne	Peignant/peint
permettre	Je permets	Je permettrai	Je permettais	Je permis	Permets	Je permet-trais	Que je permette	Permettant/permis
rejoindre	Je rejoins	Je rejoindrai	Je rejoignais	Je rejoignis	Rejoins	Je rejoin-drais	Que je rejoigne	Rejoignant/rejoint
ouvrir	J'ouvre	J'ouvrirai	J'ouvrais	J'ouvris	Ouvre	J'ouvrirais	Que j'ouvre	Ouvrant/ouvert
tenir	Je tiens	Je tiendrai	Je tenais	Je tins	Tiens	Je tiendrais	Que je tienne	Tenant/tenu